D0626028

4

le
candélabre
du temple

delly

le
candélabre
du temple

**FLAMMARION,
EDITEUR
26, rue Racine,
Paris-6e**

PREMIERE PARTIE

___

I

— Du soleil !... Enfin, enfin !

En parlant ainsi, Carolia d'Eichten se levait et s'approchait d'une fenêtre ouverte. Elle pencha au dehors sa tête blonde et la retira presque aussitôt, une goutte d'eau ayant eu l'indiscrétion de tomber sur le front blanc auréolé de petites boucles savamment disposées.

— ... Il fera bon pour une promenade, Siegbert... pourvu que nous nous chaussions en conséquence, naturellement.

Elle se tournait vers l'intérieur de la pièce — un vaste et beau salon garni de meubles anciens de grande valeur.

Une femme d'une quarantaine d'années, blonde et forte, vêtue de faille noire, travaillait à une broderie, non loin d'un jeune homme qui feuilletait un vieux livre à reliure fanée. Interpellé ainsi par Carolia, ce dernier leva la tête, et ses yeux d'un bleu foncé, au regard volontaire, s'adoucirent légè-

rement en s'attachant sur le frais visage, sur le
regard caressant qui semblait lui adresser une sorte
de prière.

— Je suis à votre disposition, Carolia. Mais j'irai
auparavant prendre des nouvelles de mon père.

Il posa le livre sur une table voisine et se leva,
développant sa haute taille souple et mince, dont
un vêtement de coupe parfaite accentuait encore
l'élégance.

La laideur proverbiale des comtes de Hornstedt
n'existait pas chez lui. Sa mère, une Hongroise,
célèbre pour sa beauté, lui avait donné ses traits,
son épaisse chevelure brune aux larges ondulations
et ses yeux dont les admirateurs enthousiastes de la
charmante comtesse disaient : « On ne trouverait
pas d'étoiles comparables à eux. » Mais il tenait
bien de la race paternelle sa façon altière de porter
la tête, et la rare intelligence, l'orgueilleuse volonté
qui se discernaient aussitôt sur cette jeune physionomie.

— Je suis vraiment inquiet de sa santé, conti-
nua-t-il en se rapprochant de Mlle d'Eichten. Ce
voyage à Vienne l'a complètement abattu.

La dame blonde, levant les yeux, fit observer :

— Quelle idée de se déranger ainsi, quand les
médecins lui recommandent le repos absolu ! Il
semblait, vraiment, que rien au monde n'eût pu
l'empêcher de répondre à l'appel de ce comte
Würmstein avec lequel il est si singulièrement
demeuré en relations — alors que cet homme, par
ses excentricités, ses théories révolutionnaires et
surtout son mariage avec la fille d'un misérable
accapareur, d'un odieux usurier, est devenu un être
absolument déconsidéré, digne du mépris de ses
pairs !

Tandis que la comtesse Sophie de Hornstedt parlait ainsi, le plus profond dédain s'exprimait sur son large visage au teint clair, que couvrait une légère couche de poudre.

— Evidemment, ma tante, je n'ai pas non plus bien compris comment mon père, si pénétré de nos traditions d'honneur, conservait des rapports, fût-ce lointains, avec cet individu. Celui-ci, paraît-il, lui a rendu autrefois un grand service... Ce doit être bien important, vraiment, pour que ce pauvre père se soit cru tenu de répondre à l'appel d'un tel homme le demandant à son lit de mort — et cela, au risque de compromettre gravement une guérison déjà si lente.

— Ce qui est arrivé... Le docteur Blück semblait vraiment inquiet ce matin, Siegbert.

— Oh ! ce brave Blück est le pessimisme incarné ! dit Carolia, avec un sourire qui découvrit de fort jolies dents. Je suis certaine que si j'allais le consulter, il me découvrirait une ou plusieurs maladies.

Le regard amusé de Siegbert enveloppa la belle jeune fille qui se tenait devant lui, cambrant un peu sa taille souple, bien prise dans une toilette élégante et offrant, avec son teint rosé, ses yeux brillants et animés, une parfaite image de la santé.

— Il faudrait qu'il fût aveugle, en ce cas... L'air de Hoendeck vous a merveilleusement fortifiée, Carolia.

— Oh ! cela, je ne le nie pas ! Hoendeck est un paradis pour moi ! dit-elle avec chaleur.

Une légère rougeur de confusion vint aussitôt à ses joues, et les cils blonds s'abaissèrent un instant sur les yeux dont le regard très doux s'adressait éloquemment à Siegbert.

Un sourire nuancé d'ironie entr'ouvrit les lèvres du jeune comte.

— Nous en sommes enchantés, croyez-le, Carolia. Notre vieil Hoendeck apprécie à sa valeur la préférence que vous lui accordez. Cependant, vous allez l'abandonner dans quelques jours...

— Oui, puisque mon tuteur veut absolument m'avoir à Marienbad ! Je ne puis vraiment lui refuser cela, me semble-t-il ?

— Evidemment. Mais dans les plaisirs mondains de là-bas, vous oublierez de regretter Hoendeck.

Un reproche ému apparut dans les yeux d'un gris bleuté.

— Oh ! Siegbert, pourrais-je jamais oublier la place que tient Hoendeck dans ma vie ? C'est ici que j'ai été accueillie, pauvre petite orpheline, et avec quelle bonté ! Grâce à vous tous, j'ai connu les joies de la famille... j'ai connu le bonheur... Et vous pouvez penser que j'oublierais ! Siegbert, me connaissez-vous donc si peu ?

Il se mit à rire, sans ironie cette fois, en prenant la main blanche qui sortait d'un volant de dentelle.

— Ne vous désolez pas, car je plaisantais... Quant à vous bien connaître... Connaît-on jamais bien un cœur féminin, d'abord ?

— Oh ! l'affreux sceptique !... L'entendez-vous, marraine ?

— Mais oui, mais oui, j'entends, mignonne !

Avec un sourire satisfait sur ses lèvres épaisses, la comtesse Sophie considérait les deux jeunes gens debout à quelques pas d'elle.

— ... Siegbert plaisante encore, car vraiment, il est si facile de pénétrer votre jeune cœur, limpide comme le plus pur cristal !

Siegbert éclata d'un rire quelque peu moqueur et Mlle d'Eichten lui fit écho.

— Voilà ma tante qui se lance dans les métaphores !... Un cœur de cristal ! C'est délicieux !

— Siegbert, que tu es peu sérieux ! dit Mme de Hornstedt en essayant de prendre un air fâché.

Sur la physionomie de Siegbert, la gaieté s'effaça pour faire place à une gravité un peu railleuse.

— Peu sérieux ? Ce n'est pas ce que disent certains de mes amis, qui me voient refuser de m'associer à leurs folies... Et ne vous en déplaise, ma tante, j'ai déjà un respectable bagage de réflexion, de scepticisme... de désillusions aussi, quelque peu...

— Des désillusions ? Siegbert, qui donc vous les a données ? s'écria Mlle d'Eichten avec vivacité.

Il riposta, mi-sérieux, mi-moqueur :

— Pas vous, Carolia, rassurez-vous. Mais en ces deux hivers, passés en partie à Vienne, dans le milieu de la cour, j'ai beaucoup observé, beaucoup étudié... pour en arriver à conclure qu'il existait dans le monde un nombre considérable de fort vilaines gens.

— Oh ! Siegbert ! s'exclama la comtesse d'un air scandalisé. Je crains fort, mon enfant, que tu te nuises beaucoup, avec cette habitude de juger sans indulgence les plus hautes personnalités.

Il eut un rire légèrement sardonique.

— Vous faites allusion à la prédiction du vieux prince Storm, ce courtisan impeccable, lequel m'a solennellement déclaré que je ne réussirais pas à la cour ?... Eh ! c'est chose possible ! En tout cas, personne ne trouvera en moi un flatteur, vous pouvez en être assurée... Carolia, préparez-vous. Je vais jusque chez mon père et je suis à vous dans dix minutes.

Il se dirigea vers une porte qu'il ouvrit, traversa un salon décoré avec un luxe antique et sévère, et entra dans une galerie dallée de marbre rouge et blanc, éclairée sur l'une de ses faces par de larges fenêtres aux profondes embrasures, tandis que l'autre était occupée par des portraits — les portraits des ancêtres de Siegbert.

Ils se trouvaient tous là, les Hornstedt du temps passé, les hommes roux, comme on les avait surnommés. De fait, il en était peu qui n'eussent cheveux et barbe de cette couleur. Presque tous, également, se tenaient dans une attitude hautaine et semblaient considérer avec orgueil ce jeune homme, leur descendant, qui passait en ce moment devant eux, jeune, élégant, plein de charme, et altier déjà comme un vrai Hornstedt.

Tout au bout de la galerie, et bien que l'on fût au cœur de l'été, un grand feu de bois brûlait dans l'immense cheminée de pierre sculptée.

Près de là se trouvait assis un homme au long visage maigre, creusé par la maladie. Ses jambes étaient enveloppées de couvertures et un incessant tremblement agitait les mains décharnées qui tenaient un journal.

En s'avançant, Siegbert demanda, sur un ton d'affectueux intérêt :

— Comment vous trouvez-vous cet après-midi, mon père ?

— Un peu moins faible peut-être, mon enfant. Mais je ne cesse de grelotter.

Siegbert se pencha pour ramener sur ses genoux la couverture qui en avait un peu glissé. En même temps, il faisait observer :

— Frileux comme vous l'êtes, vous seriez mieux ailleurs que dans cette galerie, me semble-t-il.

— Non, car il me faut de l'air... de l'air !

Et il posa les mains sur sa poitrine qui se soulevait lentement.

— Blück vous a encore grondé ce matin pour votre imprudence, n'est-ce pas, mon père ? dit Siegbert en attirant à lui une chaise pour s'asseoir près du malade.

M. de Hornstedt eut une sorte de vague sourire.

— Il ne me le pardonnera pas, Siegbert ! Pauvre Blück ! il roulait des yeux furieux !... Mais je... je ne pouvais éviter ce voyage.

Il détourna la tête et parut considérer les flammes qui léchaient les bûches amoncelées dans l'âtre énorme.

Les lèvres de Siegbert eurent un plissement de dédain.

— Je ne pourrai jamais admettre que, dans votre état de santé, vous entrepreniez ce voyage pour satisfaire au désir d'un homme tel que ce Würmstein !

— Il était mourant... Je ne pouvais lui refuser cela...

La voix du comte devenait un peu rauque et des frémissements passaient sur son visage.

— ... Il a été mon ami, et m'a rendu autrefois un service... un immense service. Je ne puis oublier... Aussi ai-je cédé à un autre désir de sa part... en acceptant de devenir le tuteur de ses filles.

Siegbert eut un brusque mouvement de stupéfaction indignée :

— Il a osé ?... Et vous avez accepté ?

— Il le fallait... Tu comprends, à un mourant,

on ne refuse pas... même les choses qui paraissent inutiles, comme c'est le cas ici... car enfin, mieux valait choisir quelqu'un d'autre plutôt que moi, voué à une mort prochaine...

— Ne dites pas cela ! interrompit Siegbert avec une sorte d'emportement.

Les coins des lèvres du malade s'abaissèrent, un douloureux abattement apparut sur sa physionomie ravagée par la maladie qui le minait depuis de longs mois.

— C'est ainsi, mon enfant. Il faut se résigner courageusement à l'inévitable... Je disais donc que Würmstein m'avait confié la tutelle de ses deux enfants...

Siegbert se leva d'un mouvement si vif que sa chaise tomba à terre.

— Mais c'est inacceptable ! Vous, le tuteur des filles de cet homme rejeté par tous ses pairs !... des petites-filles de cet odieux accapareur qui a nom Eliezer Onhacz !

— Siegbert, tu me fais mal ! murmura une voix éteinte.

Le malade était livide, et son regard témoignait d'une si étrange souffrance que Siegbert en fut effrayé.

— Pardon, mon père ! dit-il d'une voix soudainement adoucie, en prenant la main du comte. Je vous ai dit un peu trop vivement ma pensée, oubliant que vous aviez fait à cet homme le très grand honneur de lui conserver un peu de votre amitié... Mais enfin, n'aurait-il pu confier cette charge à des parents ?

— Les siens l'ont renié ; du côté de sa femme, il n'avait plus que son beau-père, cet Eliezer... Or, si abaissé au point de vue moral que fût devenu ce pauvre Karl, il n'aurait jamais voulu mettre l'éducation de ses filles en de telles mains.

— Les beaux petits monstres que doivent être, moralement, de pareils rejetons ! murmura le jeune homme d'un ton de mépris railleur.

Il fit quelques pas le long de la galerie, tandis que le comte détournait de lui son regard où passait une sorte de désespoir.

— Et qu'allez-vous faire de ces intéressantes pupilles ? demanda Siegbert en revenant à son père.

— Elles seront mises en pension dans un couvent où elles recevront l'enseignement catholique... Car jusqu'ici elles ont été élevées dans la religion juive. Würmstein m'a déclaré qu'il ne tenait pas à celle-ci plus qu'à une autre et qu'il me laissait libre à ce sujet.

— C'est encore fort heureux !... Enfin, la tutelle se bornera pour vous à une lointaine surveillance... Naturellement, ces enfants ont de la fortune ?

— Oui, la dot de leur mère.

Siegbert eut un geste de dégoût.

— Voilà de l'argent honnêtement gagné !... Et elles seront les héritières du vieil Eliezer. Pouah !

M. de Hornstedt laissa retomber sa tête sur le dossier du fauteuil. Son visage apparaissait tellement blême et contracté que Siegbert s'effraya de nouveau.

— Mon père, la conversation vous fatigue. Je vais me retirer pour vous laisser reposer.

— Oui, c'est cela, mon enfant. Dis seulement à Hans qu'il fasse entrer Sulzer dès qu'elle arrivera avec les enfants.

— Quels enfants ?

— Les petites Würmstein, qu'elle a dû aller

chercher hier à Vienne, dans l'institution où les avait placées leur père. Elles resteront à la Maison des Abeilles jusqu'à ce que j'aie fait choix pour elles d'un couvent.

— Oh ! le premier venu sera suffisant ! déclara Siegbert avec dédain.

Il ramassa le journal qui avait glissé à terre et le posa sur la couverture.

— Tu vas sortir ? demanda le comte.

— Oui, Carolia m'a demandé de l'accompagner.

Les traits du malade se crispèrent... Sans regarder son fils, M. de Hornstedt dit, avec un accent hésitant et troublé :

— Es-tu encore dans les mêmes idées à son sujet, Siegbert ?

— Mais certainement. Pourquoi me demandez-vous cela, mon père ?

Les doigts du malade caressèrent machinalement, pendant quelques secondes, la soie piquée de la couverture.

— Je crains que sa nature ne s'accorde guère avec la tienne. Elle est un peu superficielle, assez coquette, empressée à saisir toutes les occasions de plaisirs mondains...

— Chose assez naturelle, à son âge, quand on ne dépasse pas les limites permises. Je suis d'ailleurs persuadé qu'elle se laissera facilement guider par moi... et déjà, il me semble qu'elle manifeste des goûts plus sérieux. Ma tante l'a toujours trop gâtée, il ne faut pas nous le dissimuler. Heureusement, le mal est encore réparable, étant donné surtout son affection pour moi, qui la rend très docile à mes conseils.

— Mais au point de vue fortune... Carolia n'a

presque rien... et nos affaires sont... très embrouillées.

— Oh ! un embarras momentané, sans doute ! dit négligemment Siegbert. Au reste, cette question d'argent est secondaire. J'aime Carolia, c'est donc elle qui sera ma femme, ainsi qu'il en a été convenu tacitement depuis notre enfance.

M. de Hornstedt courba un peu la tête et saisit son journal entre ses doigts plus tremblants que jamais.

— Vous ne voulez pas que je reste près de vous, mon père ? demanda Siegbert, visiblement inquiet.

— Non, merci, mon enfant. Je vais me reposer un peu avant de recevoir Sulzer et ces petites filles. Va, profite de ce rayon de soleil... profite de tes heures de bonheur. Qui peut savoir ce qu'elles dureront !...

En s'éloignant le long de la galerie, Siegbert songea douloureusement :

« Ce pauvre père doit se sentir bien mal... Il faudra que je sache absolument demain ce qu'en pense Blück. »

Dix minutes plus tard, Siegbert et Mlle d'Eichten sortaient du château et se dirigeaient vers le parc. Carolia avait jeté sur ses épaules un élégant burnous de lainage bleu pâle qui faisait ressortir fort avantageusement son teint de blonde. Elle était vraiment une fort jolie personne, en même temps qu'une gracieuse femme du monde... Sans doute était-ce aussi l'opinion du jeune comte de Hornstedt, car il paraissait la considérer avec une évidente complaisance.

Carolia d'Eichten, descendante d'une vieille famille suisse du canton d'Argovie, avait des liens de parenté avec la comtesse Sophie. Celle-ci, veuve d'un frère cadet du comte Chlodwig de Hornstedt, était venue tenir la maison de son beau-frère quand celui-ci avait perdu sa femme, peu après la naissance de Siegbert. Elle amenait avec elle la petite Carolia, orpheline et à peu près sans fortune, que sa mère mourante lui avait confiée.

La plus généreuse hospitalité fut accordée à l'enfant étrangère par M. de Hornstedt. Carolia se vit traitée comme la sœur de Siegbert et, de trois ans seulement moins âgée que celui-ci, elle devint sa compagne de jeux... Bientôt le comte, sur la suggestion de sa belle-sœur, envisagea sans aucun déplaisir l'idée que Carolia d'Eichten deviendrait la femme de l'héritier des Hornstedt.

Les deux enfants avaient été entretenus dans cette

pensée par la comtesse Sophie, qui désirait ardemment ce mariage pour sa filleule. Siegbert, de nature très autoritaire, trouvait chez Carolia une parfaite souplesse, une admiration sans bornes et une adhésion empressée à toutes ses volontés. Lui, assez froid d'apparence, et facilement ironique, lui laissait pourtant voir parfois la tendresse un peu dominatrice qu'elle lui inspirait. Néanmoins, il n'y avait pas eu entre eux, jusqu'ici, d'engagement formel. Siegbert, en ces dernières années, avait beaucoup voyagé, puis, entre temps, passé plusieurs mois à Vienne, où son père ne mettait plus les pieds. Les deux jeunes gens s'étaient donc peu vus, depuis quelque temps. Mais les idées du jeune comte n'avaient pas changé, quant à ce projet de mariage, ainsi qu'en témoignait la déclaration fort nette qu'il venait de faire au comte Chlodwig.

Mlle d'Eichten semblait très heureuse d'une telle perspective. Bien que Siegbert n'eût que vingt-trois ans, il était déjà fort recherché, tant pour le charme de sa personne que pour son nom, l'un des plus anciens et des plus illustres du patriciat autrichien. Quant à la fortune, bien que certainement diminuée par la faute du comte Chlodwig, autrefois prodigue et joueur, on la supposait encore considérable.

Mais ces avantages venaient sans doute en seconde ligne dans le cœur de Carolia, profondément éprise de son ami d'enfance, à en juger par son émotion quand elle se trouvait près de lui, et par les tendres regards qu'elle lui adressait.

— Ainsi votre père était plus fatigué tout à l'heure, Siegbert ? demanda-t-elle au bout d'un instant de silence.

— Plus fatigué, oui, et surtout étrangement impressionnable. J'ai cru qu'il allait perdre connaissance, parce que je lui disais avec un peu de vivacité ma façon de penser au sujet de ce Würmstein... Car savez-vous dans quel guêpier ce pauvre père s'est engagé ? Il a accepté la tutelle des deux filles de cet homme !

— Oh ! vraiment ?... C'est inimaginable ! Le comte de Hornstedt, tuteur des petites-filles de cet Onhacz ? A quoi donc a pensé votre père, Siegbert, en acceptant pareille chose ?

Le jeune homme eut un geste qui signifiait : « Je n'y comprends rien ! » Machinalement, il cueillit au passage une feuille de noisetier qu'il pétrit entre ses doigts.

Carolia demanda :

— Savez-vous quel âge ont ces enfants ?

— Je vous avoue que je n'ai pas eu l'idée de m'en informer. Ces petites créatures me sont horriblement antipathiques sans les connaître... Mais si le cœur vous en dit, vous pourrez interroger Sulzer, qui doit les amener à mon père tout à l'heure.

— Au château ?... Et elles y demeureront ?

— Oh ! certes non ! Mon père veut simplement les connaître, je suppose. Elles demeureront chez Sulzer en attendant d'être placées dans un couvent... Car le comte Würmstein, reniant toutes les traditions de sa famille, faisait élever ses filles dans la religion d'Israël.

— Mais pourquoi donc ce Würmstein ne les a-t-il pas confiées à leur estimable aïeul maternel ?

— Un scrupule l'a retenu là, paraît-il... Et après tout, nous ne devons pas le regretter, dans l'intérêt moral de ces enfants, ajouta Siegbert, après un moment de réflexion. Mais enfin, j'aurais voulu voir choisir quelqu'un d'autre que mon père, pour cette charge fort déplaisante... Car il est pénible, pour un homme d'honneur, de gérer une fortune mal acquise.

— C'est vrai, les petites sont riches !

— Mieux vaudrait mille fois qu'elles fussent des mendiantes !... Mais laissons ce peu intéressant sujet, et dites-moi plutôt combien de temps vous pensez rester à Marienbad ?

— Le sais-je ? Cela dépendra du degré d'insistance que mettront M. de Hultz et sa femme à me retenir.

— Et du plus ou moins d'agrément que vous trouverez là-bas, ajouta Siegbert, avec un léger sourire ironique.

Elle leva sur lui un regard de reproche.

— Vous savez bien que cela seulement ne serait pas capable de me retenir loin de Hoendeck ! Si je n'avais craint de mécontenter mon tuteur, avec quelle satisfaction je lui aurais répondu par un refus, pour demeurer ici !

— Vraiment ?

Il plongeait un regard pénétrant dans les beaux yeux gris.

— Fi ! comte de Hornstedt, vous semblez douter de moi ! dit-elle avec un coquet mouvement de tête. Faut-il donc vous avouer que je vais trouver les journées mortellement longues, là-bas, et que je compterai les heures ?

— Il riposta, mi-ému, mi-railleur :

— J'espère que non ! Amusez-vous, au contraire, sans arrière-pensée ; mais ayez parfois un souvenir pour Hoendeck.

— Un souvenir !... Oh ! Siegbert, vous savez bien...

Le plus caressant des regards s'attachait sur le jeune comte. Celui-ci, dont une réelle émotion adoucissait la physionomie, prit la main de Carolia qu'il porta à ses lèvres.

Pendant quelques instants, ils avancèrent en silence. Le soleil disparaissait depuis un moment sous l'avancée rapide d'un groupe de nuages sombres et bientôt Siegbert fit observer :

— Je crois qu'il serait prudent de retourner sur nos pas.

— En effet... Voici quelques gouttes de pluie.

Ils rebroussèrent chemin, en se hâtant un peu. Mais la menace avait disparu quand ils arrivèrent en vue du château, vieux bâtiment d'aspect imposant qui avait conservé une allure très féodale, grâce à ses deux énormes tours sombres et à ses douves pleines d'une eau vive.

— Qui donc arrive là-bas ? demanda Carolia. On dirait Sulzer... avec deux petites filles. Sans doute sont-ce les intéressantes pupilles du comte de Hornstedt ? Il y en a une très petite encore, et qui semble contrefaite, si ma vue ne m'abuse pas.

— En effet... Voyez donc, Carolia, cette pauvre Sulzer n'a pas une tête précisément réjouie !

De fait, la grande femme maigre, correctement vêtue de noir, qui s'avançait avec les deux enfants, montrait une physionomie revêche qu'elle parut avoir peine à modifier quelque peu, en approchant du comte et de sa compagne.

Elle fit une profonde révérence et dit sèchement aux deux enfants :

— Allons, saluez Leurs Seigneuries, petites.

Elles obéirent, et esquissèrent un salut timide. La cadette, une frêle enfant de cinq à six ans, au maigre visage trop blanc qu'encadraient des cheveux blond pâle, gardait les **yeux baissés, mais**

l'aînée levait les siens, un peu craintifs, sur les
deux jeunes gens.

— Merveilleux ! murmura Siegbert.

Ils étaient en effet d'une extraordinaire beauté,
ces grands yeux noirs, très veloutés, qui semblaient
occuper toute la place dans le pâle petit visage aux
traits indécis, autour duquel tombait en larges
ondulations naturelles une chevelure d'un admirable roux doré.

Carolia s'écria en riant :

— Eh bien, ma pauvre Sulzer, vous voilà nantie
de deux pupilles ?

— Pas pour longtemps, heureusement !... Ce
n'est pas qu'elles soient désagréables... non, pour
être juste, je dois dire qu'elles sont tout à fait tran-
quilles et bien élevées. Mais enfin... leur origine...
Il faudra pourtant que je les garde un peu de
temps, jusqu'à ce que je me sois informée d'un
bon couvent, où l'on accepte de donner à celle-ci
les soins qu'exige sa santé.

Elle montrait la colonne vertébrale déviée de la
plus jeune des petites filles.

— ... On voit qu'elle n'est pas forte du tout ;
c'est un souffle. Rien que pour venir de chez moi
jusqu'ici, elle n'en peut plus... Levez donc la tête.
Rachel, que l'on vous voie un peu.

L'enfant obéit, et deux yeux couleur de pervenche se posèrent timidement sur les jeunes gens.

— Rachel ?... Et l'autre, comment s'appelle-
t-elle ? demanda Carolia.

— Myriam, mademoiselle.

— Elle doit avoir une dizaine d'années, il me
semble ?

D'un regard dédaigneux, Mlle d'Eichten toisait
la petite fille.

— Onze ans, mademoiselle. Celle-là non plus n'est pas forte pour son âge.

— Faites atteler pour emmener ces enfants chez vous, Sulzer, ordonna Siegbert, en jetant un regard de compassion sur le visage altéré de Rachel.

— Votre Seigneurie est trop bonne ! Mais elles marcheront bien encore jusque-là.

— Evidemment. Faire atteler pour des personnages de leur espèce ! s'exclama Carolia d'un ton méprisant.

Siegbert fronça les sourcils.

— Faites ce que je vous dis, Sulzer, ordonna-t-il sèchement.

Il s'éloigna sans remarquer l'éclair de reconnaissance qui avait brillé dans les yeux de Myriam.

Carolia le suivit, et, après quelques pas, voyant qu'il demeurait silencieux, elle mit sa main sur son bras.

— Siegbert, vous ai-je donc contrarié par ma réflexion ? demanda-t-elle avec un accent d'humble douceur.

Il répliqua froidement :

— J'ai été froissé de voir que vous, une femme, ne compreniez pas la pensée d'élémentaire pitié qui me faisait agir.

— Oh ! Siegbert, j'ai cédé là à une impulsion aussitôt regrettée ! En ces enfants, je n'ai vu tout d'abord que les descendantes d'un odieux accaparateur, d'un méprisable voleur ! C'est pourquoi j'ai jeté ce cri de protestation. Mais j'approuve de toute mon âme votre bonté, votre générosité... en constatant une fois de plus que vous êtes bien meilleur que moi.

Elle était charmante dans son attitude confuse, avec cet air de repentir et d'humilité sur son joli visage. Aussi la physionomie contrariée de Siegbert s'éclaira-t-elle aussitôt.

— Voilà qui est à voir ! dit-il gaiement. En tout cas, vous savez reconnaître vos torts, ce qui est d'un haut mérite... Quittez donc cette mine de confusion, chère Carolia, et allons demander à ma tante une tasse de thé. Après quoi nous ferons un peu de musique... puisque, hélas ! je vais être privé de mon accompagnatrice pendant des mois peut-être !

— Des mois !... Méchant sceptique ! dit-elle avec un joli rire clair qu'accompagnait le plus tendre des regards.

⋆

Peu de temps après, une voiture de Hoendeck déposait les deux petites filles et leur mentor devant une jolie maison de brique rose enfouie dans la verdure, entre le parc du château et le village de Gleitz.

C'était la demeure de Mme Sulzer, ancienne femme de charge du comte de Hornstedt, qui avait pris sa retraite l'année précédente pour soigner des rhumatismes devenus fort gênants. Elle ne s'y était décidée qu'avec beaucoup de peine, étant passionnément attachée au noble logis où elle avait toujours vécu, depuis l'enfance, et surtout à ses maîtres, particulièrement au jeune comte Siegbert qu'elle avait vu naître.

Le comte Chlodwig lui avait donné la jouissance de cette petite maison, que l'on appelait dans le pays « la Maison des Abeilles », à cause des ruches nombreuses établies dans le fond du jardin par le précédent habitant, un vieil intendant de Hoendeck qui avait fini ses jours là. Mme Sulzer y vivait avec une toute jeune servante, faisant elle-même une partie de l'ouvrage dès que ses rhumatismes lui laissaient quelque répit, et travaillant le reste du temps à d'interminables tricots, toujours de la même nuance, qu'elle envoyait chaque année, au moment de Noël, à une œuvre de bienfaisance.

De l'avis général, Martha Sulzer était une femme de la plus haute probité, d'une discrétion absolue pour tout ce qui concernait ses maîtres ; mais son caractère sec, peu avenant, ne lui attirait pas les sympathies.

A l'égard des deux enfants confiées à ses soins, elle n'était pas mauvaise, et même, elle leur témoignait une certaine sollicitude. Toutefois, les orphelines ne trouvaient chez elle aucune douceur, aucune de ces attentions si bonnes aux cœurs souffrants ou craintifs. M. de Hornstedt lui avait dit de bien soigner ces étrangères, elle remplissait strictement sa mission, voilà tout.

Les petites filles, en rentrant, montèrent dans la chambre qui leur était attribuée, pour ôter leurs vêtements de sortie. Myriam enleva le chapeau de paille noire qui coiffait trop lourdement la tête délicate de sa sœur, elle lissa avec un tendre soin la pâle chevelure, puis, approchant un fauteuil de la fenêtre ouverte, elle y fit asseoir Rachel.

— Là, tu seras très bien, ma chérie. Justement, le soleil revient un peu... Comme c'est heureux que nous ayons rencontré ce monsieur ! Sans lui, nous revenions à pied et tu en aurais été malade, ma Rachel.

— Oui, car j'étais bien fatiguée ! murmura l'enfant en appuyant sa tête contre la poitrine de sa sœur. Mais on est bien, ici... Toutes ces fleurs sentent bon...

Ses narines aspirèrent avec délices les parfums qui montaient du jardin.

— ... Crois-tu, Myriam, que nous resterons long-temps avec Mme Sulzer ?

— Je ne sais pas ! murmura Myriam. Je ne sais rien.

Ses beaux yeux se couvraient d'ombre, sa bouche frémissait... Car l'enfant sérieuse et aimante se demandait anxieusement ce qu'on allait faire de Rachel et d'elle, pauvres petits oiseaux sans nid... et surtout, surtout, si on ne les séparerait pas !

A cette pensée, Myriam frissonnait de détresse. Rachel, sa petite bien-aimée, qui avait tellement besoin de soins et de tendresse !...

Elles étaient tout l'une pour l'autre. A la naissance de Rachel, Myriam était demeurée toute la journée près du berceau, dans une muette contemplation et, dès ce moment, elle avait voué à sa cadette la plus ardente affection. Après la mort de sa femme, le comte Würmstein avait placé les deux enfants dans une institution tenue par des Israélites. Il se désintéressait complètement d'elles, se contentant de régler ponctuellement leur pension. Les deux sœurs avaient grandi ainsi, bien soignées physiquement, recevant une bonne éducation morale, mais privées des affections familiales. La petite Rachel, à la suite d'une chute, devenait contrefaite. On ne s'inquiéta pas assez tôt de la faire soigner, si bien que les médecins, enfin consultés, déclarèrent que la complexion délicate de l'enfant ne permettait pas le dur traitement maintenant nécessaire.

Attirant à elle un tabouret, Myriam prit place aux pieds de sa sœur, en levant les yeux sur le maigre petit visage, et toutes deux restèrent ainsi, en se considérant avec une ardente tendresse.

III

Un subit rafraîchissement de température s'étant
produit, quelques jours plus tard, la petite Rachel
prit froid et dut demeurer à la chambre. Sa seule
distraction consistait dans la vue du jardin et des
hautes cimes de la forêt, qui couvrait une partie
du domaine de Hoendeck. Mais elle ne s'ennuyait
pas. Son âme, déjà résignée, savait souffrir en
silence et s'intéressait à un rien. Puis elle avait près
d'elle Myriam, garde-malade accomplie, toujours
douce, toujours souriante et s'ingéniant à distraire
sa sœur chérie du mieux possible.

Rachel l'en récompensait par une affection passionnée, un peu exigeante parfois, car l'aînée, pour
lui complaire, ne sortait guère de la chambre où la
petite malade voulait la voir sans cesse.

Mme Sulzer avait trouvé un couvent pour les petites orphelines. Mais il ne pouvait être question
de les y envoyer tant que Rachel n'irait pas
mieux... En grommelant dans son for intérieur,
l'ancienne femme de charge soignait l'enfant avec
un certain dévouement. Rachel était attachante,
même pour un cœur peu sensible. Puis le comte
de Hornstedt, en apprenant sa maladie, avait recommandé : « Surtout, faites ce qu'il faut pour
cette petite et pour sa sœur, Sulzer. Qu'elles ne
manquent de rien, qu'elles se trouvent bien chez
vous, je vous le recommande. »

Un matin, le docteur Blück constata une réelle

amélioration dans l'état de Rachel. Il le déclara à
Mme Sulzer d'un ton de vive satisfaction, puis
ajouta, en regardant Myriam, debout près du lit
de sa sœur :

— En voilà une autre qui n'a pas une fameuse
mine... Je suis sûr que vous vous fatiguez auprès
de votre petite sœur, ma mignonne ?

Il prenait dans sa main le menton de la petite
fille et attachait un regard de bienveillant intérêt
sur le mince visage altéré. Bien que célibataire
endurci, le docteur Blück aimait beaucoup les enfants, et ces petites étrangères, en particulier, le
charmaient vivement.

Myriam protesta :

— Oh ! non, Rachel ne me fatigue pas du tout !

— Hum !... Et puis, je suis sûr que vous ne
sortez pas ?... Voilà de la bonne hygiène ! Madame Sulzer, il faut m'envoyer cette petite fille-là
dans le jardin, et même lui faire faire quelques
bonnes promenades.

— Ah ! pour cela, monsieur le docteur, je voudrais bien que vous me disiez comment m'y prendre ? J'ai mon travail ici, avec la petite à soigner
en plus ; ainsi donc il ne me reste pas de temps
pour aller courir les routes.

Le docteur Blück passa la main sur sa barbiche
grise. Il réfléchissait... puis ses yeux bleus un peu
perçants brillèrent derrière les lunettes qui chevau-
chaient son long nez.

— Voyons, si je demandais à ma nièce d'emmener cette petite avec ses enfants ?

— Bien sûr qu'à Mme Oldrecht, je la confierais
sans crainte. Mais il ne faudrait pas qu'elle se gênât
pour cela ?

— Elle sera au contraire heureuse de rendre

service à cette gentille enfant. Peut-être viendra-
t-elle la chercher dès cet après-midi, car je crois
qu'il est question d'une promenade en forêt.

Myriam dit vivement :

— Mais je ne veux pas quitter Rachel !

— Oh ! oh ! enfant, il faut obéir avant tout !...
Et Rachel vous laissera bien gentiment partir,
quand elle saura que c'est pour votre santé...
N'est-ce pas, ma petite fille ?

Il se penchait vers la malade et lui caressait la
joue.

Rachel prit un air grave.

— Oui, je ne dirai rien et je tâcherai de ne pas
trop m'ennuyer pendant qu'elle ne sera pas là.

— Pauvre trésor, va !... Ma petite nièce Aennchen t'apportera ses albums d'images pour te distraire... Et aimerais-tu un petit chien ? Je connais
une personne qui en a un très joli à donner.

— Un chien ! s'exclama Rachel avec ravissement.

— Ah ! cela te fait plaisir ? Eh bien, on te l'apportera cet après-midi.

— Merci, merci ! balbutia l'enfant dont les
lèvres brûlantes s'appuyèrent sur la main du brave
homme.

— C'est bon, c'est bon !... Maintenant, je me
sauve, madame Sulzer. J'ai consultation à dix
heures avec le profsseur Siehlmann, pour ce pauvre
comte... Hélas ! je crois qu'il n'y a aucun espoir !
Mais le comte Siegbert veut tout tenter.

Vers deux heures, comme Rachel s'éveillait de
sa sieste accoutumée, le calme de la Maison des
Abeilles fut tout à coup troublé par des voix
enfantines. Dans la chambre de la malade, apparut,
à la suite de Mme Sulzer, une petite femme brune.

modestement vêtue, de mine paisible et digne. Derrière elle venaient ses trois filles, brunes comme elle : Adelina, une grande fillette de quinze ans, aux yeux rieurs, Valérie, qui semblait calme et timide, puis Aennchen, dont les six ans avaient sonné la veille.

Cette dernière portait précieusement entre ses bras un tout petit chien au poil ras, d'un noir d'ébène, vers lequel Rachel étendit les mains en s'écriant joyeusement :

— Qu'il est joli !... qu'il est joli !

Une sincère cordialité s'établit aussitôt entre les petites étrangères et leurs visiteuses. La franchise, la douce bonté qui se discernaient chez la mère et les filles conquerraient vite la sympathie et la confiance des orphelines.

Au bout d'une heure, Mme Oldrecht se leva.

— Nous allons faire une promenade et nous vous emmenons, mademoiselle Myriam ; allez vite mettre votre chapeau. Maintenant qu'elle a son Rœtzchen, votre petite sœur s'ennuiera moins en votre absence.

— Oui, va, Myriam ! dit vivement Rachel. Pendant que tu ne seras pas là, je parlerai de toi à Rœtzchen.

Myriam avait le cœur un peu gros, en s'éloignant du logis où elle laissait la petite malade. Mais sa tristesse céda bientôt devant la réconfortante sympathie de Mme Oldrecht, la gaieté entraînante d'Adelina, les affectueuses avances de Valérie et les amusantes réflexions de la petite Aennchen, dont les yeux noirs pétillaient d'intelligence et de malice.

Par un chemin montueux et ombragé, qui longeait pendant un certain temps l'immense parc de

Hoendeck, les promeneuses gagnèrent la base du sommet rocheux sur lequel s'élevaient les restes de l'ancien château-fort des comtes de Hornstedt, détruit vers le milieu du XIVe siècle. Sur la demande de Myriam, Mme Oldrecht consentit à monter jusqu'aux ruines. Après avoir gravi un sentier assez raide, la nièce du docteur Blück et les petites filles atteignirent le vaste espace envahi par les herbes folles où se dressaient des pans de murs roussis par le soleil et les intempéries.

On découvrait, de là, une vue assez étendue, en dépit des forêts qui bornaient un peu l'horizon. Le village de Gleitz apparaissait au pied d'une colline boisée, avec ses maisons bâties le long de la rivière aux eaux vives, étincelantes sous le chaud soleil de cet après-midi d'été. Plus près, les tours sombres du château se dressaient entre les futaies séculaires... En se détournant, on avait sous les yeux des champs de blé, des prés, des vergers, des fermes d'où montait un bruit confus de voix humaines, de beuglements, de gloussements de volailles, de roulements de charrettes. Au loin, c'était la forêt, sombre sous le bleu pâle du ciel. Une saine odeur de foin, d'essences forestières, de fleurs champêtres, montait jusqu'aux ruines, apportée par la brise très forte sur ce sommet.

— Il y a quelquefois ici d'effrayantes tempêtes, dit Mme Oldrecht en s'asseyant sur une pierre couverte de lichens. Ce qui reste de ces vieux murs croulera certainement un de ces jours... Ne vous aventurez pas trop là dedans, mon enfant ! ajouta-t-elle en voyant Myriam s'avancer au milieu des ruines.

La petite fille s'arrêta, tout en jetant un coup d'œil plein d'intérêt sur les pans de murs lamentablement effrités, dans les trous desquels nichaient les corneilles.

— Venez pas là, il y a un endroit qui est moins usé que le reste, dit Adelina en lui prenant le bras.

Elles contournèrent une ligne de pierres amoncelées qui semblaient marquer la place des anciennes fortifications, passèrent près d'une tour dont il ne restait que les murs crevassés, puis, foulant aux pieds les graminées qui croissaient avec une folle profusion, se trouvèrent devant un corps de bâtiment en relatif état de conservation. Toute une paroi s'effondrait, il est vrai, mais en penchant la tête vers une des fenêtres béantes, Myriam vit à l'intérieur une énorme cheminée de pierre dont l'âtre noir gardait la trace des feux superbes qui avaient chauffé les anciens comtes de Hornstedt.

— C'était la salle des Seigneurs, expliqua Adelina. A chaque nouvelle tempête, elle se détériore un peu plus... On disait à un moment que le comte de Hornstedt songeait à restaurer ces ruines, mais il est probable que la maladie lui a fait sortir cela de l'esprit.

— Il est malade depuis longtemps ? demanda Myriam, tout en se penchant pour cueillir une graminée rose qu'elle ajouta au bouquet commencé à l'intention de Rachel.

— Quelques années, je crois. Mais maintenant, mon oncle assure qu'il est perdu.

— Ah ! dit Myriam toute saisie. Alors, qui s'occupera de nous, quand il ne sera plus là ?

— Son fils, probablement... On dit qu'il se mariera bientôt, le comte Siegbert.

— Avec Mlle d'Eichten, ajouta Valérie qui rejoignait sa sœur et Myriam. Elle est jolie, mais trop fière. Quand elle passe dans Gleitz, à peine répond-elle au salut de maman. Et l'oncle Leonhard ne l'aime guère non plus.

Tandis qu'elle suivait les deux sœurs qui rejoignaient leur mère, Myriam songeait avec inquiétude : « Pourvu que ce comte Siegbert soit bon pour nous, et qu'il ne nous sépare pas ! »

Près de Mme Oldrecht, les petites filles trouvèrent son fils Luitpold, un grand et fort garçon de seize ans aux cheveux blonds ébouriffés, à la mine vive et gaie. Il serra vigoureusement la petite main de Myriam en lui adressant quelques mots aimables.

— Nous allons nous amuser un peu, n'est-ce pas ? ajouta-t-il aussitôt. J'aime beaucoup cet endroit-ci... Puis, on a toujours une petite chance de découvrir ce fameux candélabre...

— Quel candélabre ? demanda Myriam.

— Eh ! celui du temple de Jérusalem ! Mes sœurs ne vous ont pas raconté cela ?... L'histoire rapporte que Titus, après avoir détruit le Temple, emporta, avec les autres merveilles qu'il contenait, le célèbre chandelier d'or à sept branches. Après le pillage de Rome par Genséric, le navire qui transportait ce précieux objet à Carthage fit naufrage sur les côtes de Sicile. On le croyait bien disparu pour toujours... Mais voilà qu'au temps des Croisades, le bruit courut qu'un comte de Hornstedt l'avait découvert en Orient et secrètement rapporté en son château de Hoendeck. Ce seigneur, renommé pour sa méfiance et son avarice, le cacha si bien qu'après sa mort, survenue soudainement avant qu'il eût pu renseigner son héritier, celui-ci ne put jamais le découvrir. Toutes les recherches que firent faire, dans la suite des temps, les seigneurs de Hoendeck n'aboutirent à rien...

Voilà pourquoi on a toujours l'espoir d'une découverte intéressante, quand on vient ici... Et maintenant, voulez-vous une bonne partie de cache-cache,
mesdemoiselles ?

Il était un incomparable boute-en-train, ce
joyeux Luitpold, et Adelina ni Aennchen ne lui
cédaient guère sur ce point. Myriam se laissa
gagner par cet entrain, si bien qu'elle accourut
toute rose et tout animée, avec des yeux brillants
de plaisir, quand Mme Oldrecht donna le signal du
départ.

— A la bonne heure, voilà une mine qui ferait
plaisir à mon oncle ! dit en souriant Mme Oldrecht.
Il faudra renouveler les parties de ce genre, car
vous en retirerez certainement un grand bien, ma
chère enfant.

Myriam soupira.

— Si seulement Rachel pouvait nous accompagner !

— Cela viendra, ma mignonne, votre chère
petite sœur se fortifiera peu à peu... Eh bien, Luitpold, que fais-tu à fouiller dans ces crevasses ?

— Je regarde si par hasard le candélabre n'est
pas caché là... Car ce serait fameux pour moi si
je le découvrais ! Le comte de Hornstedt me com-
blerait d'amitié, je serais reçu à Hoendeck, et...

Il s'interrompit tout à coup en rougissant de
confusion... Au débouché du sentier apparaissait
le comte Siegbert. Il avait entendu sans doute les
paroles du jeune garçon, car ses lèvres s'entr'ouvraient en un sourire amusé.

En passant près de Mme Oldrecht et des enfants,
il répondit courtoisement à leur salut, tandis que
son regard s'arrêtait un instant avec intérêt sur la

chevelure aux chauds reflets d'or qui entourait le
visage rosé de Myriam.

La famille Oldrecht s'engagea dans le sentier,
pendant que Siegbert s'avançait vers les ruines. Il
s'appuya contre un pan de mur et, croisant les bras
sur sa poitrine, laissa errer son regard soucieux
autour de lui, sur le tranquille paysage baigné de
soleil.

Ce matin, le grand médecin viennois appelé en
consultation n'avait pu lui cacher que l'état de son
père était désespéré.

— On le prolongera, pourvu qu'il ne survienne
aucune complication et que, par conséquent, on
lui épargne les émotions, avait-il ajouté.

La maladie faisait incontestablement de rapides
vait la raison dans les inquiétudes que causait à
progrès, depuis quelques jours. Siegbert en trou-
son père l'état précaire de sa fortune. Le comte
Chlodwig avait été, jusqu'à ces dernières années,
un joueur incorrigible, sans parler des prodigalités
de toutes sortes qui avaient largement aidé à la
dilapidation de biens considérables. Pour remédier
à la ruine qui le menaçait, il avait engagé les capitaux qui lui restaient dans des affaires financières,
dont plusieurs avaient croulé déjà. Siegbert, laissé
à peu près dans l'ignorance à ce sujet, s'était montré fort surpris quand son père, quelques jours plus
tôt, l'avait entretenu de leur situation difficile. Il
ne s'agissait plus, comme le jeune homme le
croyait tout d'abord, d'embarras momentanés,
mais bien d'une ruine possible, car l'affaire dans
laquelle M. de Hornstedt avait mis la plus grande
partie de ses capitaux périclitait depuis quelque
temps, au point de donner maintenant les plus sérieuses inquiétudes.

Siegbert avait objecté :

— Mais nous aurions toujours Hoendeck, qui nous donne des revenus considérables.

Et le comte avait dû avouer que le domaine était hypothéqué depuis plusieurs années.

Siegbert songeait à cette situation, en considérant machinalement ces prés, ces terres fertiles, ces forêts qui représentaient depuis des siècles le riche patrimoine des Hornstedt. Il l'aimait profondément, le vieux domaine ancestral, et en ce moment, il lui fallait écarter la pensée du ressentiment qui s'élevait en lui, contre son père, l'auteur de cette ruine... Mais enfin, rien n'était encore perdu. L'affaire, excellente en elle-même, assurait le comte, pouvait se rétablir. Par une économie stricte, par une meilleure surveillance du rendement des terres et des forêts, il serait possible de dégrever peu à peu Hoendeck, en remboursant les créanciers. Siegbert, nature énergique et sérieuse, envisageait courageusement cette perspective d'un changement d'habitudes, et d'une existence fort probablement gênée. Son plus grand regret serait de ne pouvoir donner à Carolia qu'une position médiocre. Habituée à la vie élégante et large, elle en souffrirait certainement. Toutefois, il la jugeait suffisamment sérieuse et assez fortement attachée à lui pour s'adapter à cette nouvelle situation.

Puis encore, s'il le fallait absolument, il s'adresserait à l'empereur, qui lui avait témoigné une grande bienveillance, et solliciterait de lui quelque poste, diplomatique ou autre. Mais cette solution répugnait à l'esprit d'indépendance très fortement enraciné chez Siegbert de Hornstedt.

Le jeune homme gardait une physionomie assombrie, tandis qu'il redescendait vers le château, dans la tiédeur parfumée de cet après-midi qui finissait. Il gagna son appartement, dont les fenêtres ouvraient de plain-pied sur une terrasse de pierre longeant le rez-de-chaussée, du côté des jardins. Quelques journaux et une lettre étaient déposés sur la table de son cabinet de travail. Il reconnut aussitôt, sur l'enveloppe, l'écriture de son cousin, le comte Mathias Athory. Celui-ci, comme il l'expliquait à Siegbert, se trouvait en ce moment à Marienbad où il accompagnait sa mère souffrante.

« Je t'assure, mon ami, que je fais à cette chère mère un véritable sacrifice, car je suis toujours l'ours que tu connais, ne me plaisant que dans notre domaine de Hoczy, détestant le monde et tout particulièrement celui que l'on rencontre dans ces stations thermales. Pour complaire à ma mère qui ne comprend pas ma sauvagerie, je prends part cependant à quelques-unes de ces réunions brillantes et plus ou moins stupides qui se multiplient ici, particulièrement cette année. Mlle d'Eichten y est très remarquée, très recherchée. Je ne l'aurais pas cru si mondaine, d'après ce que tu me disais d'elle. On voit qu'elle est dans son élément, au milieu de l'éclat, du luxe, des hommages. Ceux-ci ne lui manquent pas, et tout particulièrement on remarque ceux que lui offre le prince Arnulf de Storberg. Quelqu'un m'a raconté hier qu'il venait de la demander en mariage. J'ai accueilli la nouvelle en riant, car ce frère du duc régnant de Storberg a quarante-cinq ans largement sonnés, avec, en plus, un caractère fort original — pour ne pas dire baroque. En admettant que cette demande en mariage soit vraie, la réponse ne peut être douteuse. Mlle d'Eichten est d'ailleurs, sinon officiellement, du moins de fait, ta fiancée, et tu n'es pas de ceux que l'on oublie, que l'on **abandonne, mon beau Siegbert.** »

Le jeune comte de Hornstedt interrompit sa lecture. Une vive contrariété assombrissait tout à coup son regard. Carolia, dans les lettres qu'elle écrivait à la comtesse Sophie et à son ami d'enfance, semblait très détachée des plaisirs auxquels, disait-elle, Mme Hultz l'obligeait à prendre part. Elle aspirait à retrouver la tranquillité de Hoendeck, le seul lieu où elle se trouvât réellement heureuse... Mais voici que le comte Athory — bon observateur, son cousin, le savait — ne voyait en elle qu'une jeune fille très mondaine, très coquette — il l'insinuait discrètement — et nullement en disposition de regretter les paisibles distractions de Hoendeck. Or, Siegbert avait en horreur toute dissimulation. Que Carolia se plût à Marienbad, qu'elle jouît de ses succès mondains, il ne lui en eût pas fait grief, non plus que d'un peu de coquetterie, persuadé qu'elle ne dépassait pas les limites permises. Car il ne la tenait pas pour une perfection, cette blonde Carolia, mais seulement pour une jolie femme, de caractère aimable et docile, qui ferait une charmante comtesse de Hornstedt et pour laquelle il éprouvait un réel attachement, sans rien de la grande passion. Il était disposé à l'indulgence pour ses défauts, en considération des qualités qu'il découvrait en elle ; seule, l'hypocrisie ne pouvait trouver grâce devant lui. Or, si Mathias avait bien vu, Mlle d'Eichten mentait, en affirmant ne prendre aucun plaisir aux distractions de Marienbad et ne penser qu'à Hoendeck, à ses habitants.

Les sourcils froncés, Siegbert reprit la lettre de son cousin... Au dernier paragraphe, son attention fut retenue plus vivement..

« Qu'est-ce donc, mon cher ami, que cette histoire dont M. de Hultz m'a entretenu hier ? Il s'agirait d'une catastrophe financière imminente engloutissant toute votre fortune ? Le tuteur de Mlle d'Eichten prétend tenir le renseignement de source sûre ; mais je n'en veux rien croire encore. Rassure-moi vite, mon cher Siegbert, et si je puis t'être utile, use de moi, de mes biens, hélas ! malheureusement diminués, car mon pauvre père en a laissé une bonne partie entre les mains de ce misérable Eliezer Onhacz. »

« Excellent Mathias ! songea Siegbert avec émotion. Mais qu'y a-t-il de vrai dans ces racontars ?... Pourvu que pareille épreuve nous soit épargnée ! Mon père ne pourrait la supporter, dans l'état où il se trouve. »

A ce moment on frappa à la porte, et le vieux valet de chambre du comte de Hornstedt apparut, la physionomie bouleversée.

— Votre Seigneurie veut-elle venir ? M. le comte semble plus mal...

Siegbert se précipita vers l'appartement de son père. M. de Hornstedt, dont le visage était horriblement contracté, battit l'air de ses bras en l'apercevant.

— C'est fini... ruinés, bégaya-t-il.

Et il tomba sans connaissance, les doigts crispés sur la lettre qui lui annonçait la catastrophe.

IV

Le comte de Hornstedt reposait dans son grand lit de chêne, sur lequel l'avaient porté Siegbert et le vieux serviteur. Il ne lui restait plus que quelques heures à vivre, avait dit à son fils le docteur Blück, très ému, car il était fort attaché aux seigneurs de Hoendeck. Le chapelain du château était venu donner au mourant les derniers sacrements. Il ne restait plus maintenant près de lui que sa belle-sœur et son fils... Siegbert, à mi-voix, dit à la comtesse :

— Allez vous reposer, ma tante. Je ne quitterai pas mon père.

— Eh bien, je te laisse un moment... non que je sois fatiguée, mais il faut que j'écrive quelques lignes à Carolia, qui me demande si instamment dans sa lettre de ce matin des nouvelles de notre cher malade. Un billet charmant, plein de cœur !... On sent tellement bien qu'elle est sans cesse avec nous, par la pensée !

Mme de Hornstedt quitta la chambre où Siegbert demeura seul, absorbé dans ses pensées douloureuses, les yeux attachés sur le visage profondément altéré qui s'enfonçait dans l'oreiller. Sous son apparence froide, il aimait vivement ce père qui avait pour lui une ardente affection, et, volontiers, il excusait des torts qu'il avait devinés, en ne voulant que considérer le cœur excellent, la générosité sans limites de celui qui allait le quitter.

Les paupières du mourant, tout à coup, se soulevèrent, et Siegbert rencontra son regard plein d'angoisse.

Le jeune homme se pencha en demandant :

— Désirez-vous quelque chose, cher père ?

— Je veux te parler... Il n'y a personne que toi, ici ?

— Rien que moi, oui, mon père.

— Eh bien, écoute... Il faut que tu saches, maintenant...

Le comte parlait d'une voix saccadée, un peu rauque. Sa main droite se crispait sur le drap et son teint blême se colorait, sous une poussée de sang provoquée par quelque émotion puissante.

— ... Il y a dix ans, alors que tu n'étais encore qu'un garçonnet, on parla beaucoup à Vienne d'une affaire de trahison, à laquelle, disait-on, étaient mêlées de hautes personnalités...

Le comte s'interrompit, haletant. Sa main glacée, tremblante, saisit celle de Siegbert, et le jeune homme se sentit étreint par une violente angoisse en discernant dans le regard qui s'attachait à lui une poignante douleur, une sorte de désespoir.

— Mon père, vous vous épuisez ! Ne parlez pas maintenant... Plus tard, quand vous serez mieux...

— Non, il faut... il faut... Dans cette horrible affaire, Siegbert, je me trouvais au moment d'être compromis...

Siegbert eut un brusque mouvement de stupéfaction.

— Vous !... vous !

— Oui, moi, qui en ignorais cependant le premier mot. Une femme, une diabolique créature, par vengeance, avait su habilement utiliser quelques imprudences, dont je ne me souvenais même plus, mais qui devaient me donner aux yeux des

juges l'apparence de la culpabilité... C'était pour
moi, pour toi, le déshonneur... Comprends-tu,
Siegbert, comte de Hornstedt ?

— Ah ! oui, oui !... Plutôt mille morts ! s'écria
le jeune homme d'une voix frémissante. Et alors,
mon père... que s'est-il passé ?

— Tandis que j'étais au paroxysme de la détresse, un homme survint, comme un sauveur...
C'était le comte Karl Würmstein, autrefois mon
ami, avec lequel je n'entretenais plus de relations
depuis son déshonorant mariage.

« — Je t'apporte le salut, Chlodwig, me décla-
ra-t-il sans préambule. Théodora Margen détient
quelques papiers qui — bien que tu sois innocent,
j'en suis persuadé — suffiront pour te perdre. Eh
bien, ces papiers, je les aurai, je te les rendrai, de
telle sorte qu'il ne subsistera plus aucune preuve
contre toi.

« Je lui saisis les mains en m'écriant :

« — Tu ferais cela, Karl ?... Ah ! mon ami,
toute ma reconnaissance, tout mon dévouement
seront à toi, car tu me sauverais plus que la vie !

« Il eut un rire sarcastique :

« — Oui, je le ferai, mais à une condition... Toi,
comme les autres, avec plus de formes peut-être,
tu as tourné le dos à celui qui est devenu le gendre
d'Eliezer Onhacz. Peu m'importe, car je ne me
soucie guère de l'opinion de mes pairs, avec les-
quels il m'a plu de rompre complètement. Mais je
veux que mes enfants reprennent rang dans l'aristocratie. J'ai donc décidé que la fille qui m'est née
l'année dernière, la comtesse Myriam Würmstein,
deviendra à seize ans la femme de ton fils. »

Siegbert bondit.

— Ah ! c'est trop fort !... Il osait, le misérable !

M. de Hornstedt gémit :

— Siegbert !... mon enfant...

— Vous l'avez traité comme il le méritait, n'est-ce pas ? Vous lui avez montré votre mépris, votre...

— Tais-toi !... tais-toi ! Il exigeait mon serment, contre lequel seulement il me remettrait les preuves... J'ai supplié !... j'ai tout fait pour changer sa résolution. Il fut inébranlable.

« — Jure que ton fils épousera ma fille... Ou bien les choses suivront leur cours. »

Affolé par la perspective du déshonneur, je finis par faire le serment demandé...

Une exclamation d'horreur s'échappa des lèvres de Siegbert. Le jeune homme, debout, frémissant des pieds à la tête, attachait sur le visage décomposé de son père des yeux pleins d'épouvante et de révolte.

— Vous avez juré cela ? Cette abominable chose ?

Le comte étendit ses doigts exsangues, pour essayer de saisir la main de son fils. Il implora d'une voix étranglée :

— Pardon, mon enfant bien-aimé ! C'est toi qui porteras le poids de ce serment fait pour sauver l'honneur de notre race. Mais pouvais-je agir autrement ?... Dis-le, Siegbert ?... Dis, le pouvais-je ?

Le jeune homme, aussi pâle que le mourant, étendit le bras dans un geste violent.

— Jamais !... Jamais cela ne se fera ! dit-il avec une sourde véhémence. Comment avez-vous pu penser que je céderais à la grotesque exigence de cet homme ?... Le comte de Hornstedt épousant la petite-fille d'Eliezer Onhacz !... Mais c'est un déshonneur aussi, cela ! Vous n'y avez donc pas songé, mon père ?

— Si... mais l'autre primait tout. Quand sonnera l'heure de ce mariage, tu iras vivre à l'étranger, avec ta femme. Là, on sera moins strict que dans notre pays...

— Et je pourrai y vivre largement, grâce à l'argent acquis par Eliezer...

La voix de Siegbert tremblait d'indignation. M. de Hornstedt balbutia :

— Non, non, tu laisseras la fortune... Mais il faut... Siegbert, quoi qu'il puisse t'en coûter. Souviens-toi que si j'avais refusé, ton nom serait aujourd'hui aux yeux de tous celui d'un traître.

Siegbert s'écria violemment :

— Je n'ai pas à remplir une promesse qui vous a été arrachée dans un moment d'affolement, de désespoir !

— Une promesse faite sur mon honneur !... Souviens-toi que si tu n'as pas le courage d'en accomplir les obligations, tu infligeras à ton père mourant la plus grande douleur qu'il puisse ressentir, car c'est sa parole, donnée en toute loyauté, que tu fouleras aux pieds.

Il essayait à nouveau de saisir la main de son fils. Mais Siegbert se recula, en un suprême mouvement de révolte.

— Demandez-moi ce que vous voudrez... mais cela, jamais, jamais !

Le visage du mourant se convulsa, les yeux ternes s'injectèrent.

— Ma parole... méprisée... Parjure...

Ces mots sifflèrent entre les lèvres tendues. Siegbert frissonna, en rencontrant le regard de reproche désespéré qui s'attachait à lui.

— Je ne peux pas... C'est ma vie que vous me demandez là ! s'écria-t-il dans un dernier sursaut d'indignation.

— Il faut la donner... pour l'honneur de ton nom...

La supplication se faisait plus poignante, dans le regard du mourant. Un spasme tordit le corps qui arrivait aux dernières limites de son existence... Siegbert se rapprocha, se pencha sur le visage livide et dit, avec un accent méconnaissable :

— Eh bien, j'accomplirai votre promesse, mon père.

La physionomie du comte s'apaisa. Il murmura :

— Merci, mon enfant... mon cher enfant...

Puis il ferma les paupières et, ayant usé en ces quelques instants ses dernières forces, il ne parla plus jusqu'à l'heure, peu tardive, où survint pour lui le grand silence de la mort.

**

Quand, les premières formalités funèbres remplies, Siegbert se trouva un peu plus tard seul dans son appartement, il s'écroula dans un fauteuil et put considérer en face toute l'horreur de sa situation.

Lui, le comte de Hornstedt, d'une race illustre et sans mésalliance, lui, dont l'orgueil, les tendances autoritaires, l'esprit d'indépendance avaient été développés, encouragés par l'affection idolâtre de son père, il serait obligé à ce mariage odieux... il deviendrait l'époux d'une petite-fille d'Eliezer Onhacz !

— Non, non, ce n'est pas possible ! murmurat-il en pressant entre ses mains son front brûlant.

N'allait-il pas se réveiller d'un songe affreux ?...
se retrouver libre, délivré de l'abominable entrave?

Hélas ! il n'avait pas rêvé ! Son existence était
brisée à l'avance, et maintenant il traînerait comme
un fardeau l'obligation de s'unir à cette petite-fille
d'un voleur, à cette fille du grand seigneur déchu
qui, sans scrupules, avait profité de la détresse du
comte Chlodwig pour préparer à son rejeton un
établissement honorable.

Aujourd'hui Siegbert comprenait la cause de
cette maladie qui, peu à peu, en ces dernières années, avait ruiné les forces de son père. La promesse
arrachée par le comte Würmstein pesait lourdement sur M. de Hornstedt qui prévoyait bien la
révolte, l'indignation, la souffrance de son fils. De
cette angoisse, il était mort, véritablement.

Et de même, sachant que Siegbert n'était pas
libre, il n'avait plus encouragé depuis quelque
temps son attachement pour Carolia.

Carolia... Il faudrait lui apprendre qu'il devait
renoncer à elle. Cette pensée jetait en lui une émotion douloureuse. Car il l'aimait sincèrement, cette
jolie Carolia, d'un amour tranquille et raisonné
qui lui permettait de constater, sans tomber dans
la désillusion, que Mlle d'Eichten ne réalisait
qu'imparfaitement l'idéal féminin entrevu dans ses
rêves de jeune homme. Telle quelle, il l'avait jugée
capable de lui donner un bonheur suffisant... Et
voilà qu'en travers de ces desseins venait se mettre
une odieuse petite fille...

Il se leva brusquement, dans un sursaut de
révolte. Une colère sourde et terrible montait en
lui, contre le comte Würmstein, contre « elle »,
l'enfant qui deviendrait sa femme.

— Je la hais ! dit-il tout haut avec violence.

Il s'approcha d'une fenêtre ouverte. Son regard erra un instant devant lui, sur le parc envahi par les premières ombres de la nuit... Et il se revit dans ces allées, près de Carolia, si gracieuse en sa beauté blonde, et si éprise de lui.

« Que dira-t-elle, quand elle apprendra qu'il faut briser nos projets ? Naturellement, elle comprendra et se résignera, puisqu'il s'agit pour moi de tenir une parole donnée. Mais elle souffrira, elle aussi... Et tout cela pour toi, enfant maudite ! » songea-t-il avec un geste de fureur dans la direction de la Maison des Abeilles.

V

En sortant de Hoendeck, le docteur Blück s'était dirigé vers la demeure de Mme Sulzer. Il voulait voir si l'amélioration constatée le matin chez Rachel s'était maintenue.

Ces enfants l'intéressaient beaucoup, et il avait entendu avec plaisir sa nièce déclarer qu'à elle aussi, Myriam et sa petite sœur inspiraient la plus vive sympathie.

— L'aînée, tout particulièrement, doit être une nature ravissante, avait déclaré Mme Oldrecht. Et tellement sérieuse déjà, si attentive et pleine de tendresse pour sa pauvre petite malade !

Rachel allait encore un peu mieux, ce soir, et le docteur, satisfait, déclara :

— Allons, je permettrai sans doute demain une petite station au jardin, si le temps est beau. L'air la fortifiera mieux que toute autre chose.

A la porte de la maison, il s'attarda un instant pour s'entretenir avec Mme Sulzer du comte de Hornstedt. Puis il monta dans la vieille petite voiture qui lui servait pour ses tournées... Mais à peine s'était-il engagé sur le chemin conduisant vers Gleitz qu'il entendit derrière lui une voix d'enfant appelant :

— Monsieur le docteur ?

En se détournant, il vit Myriam qui accourait, un peu rouge.

— Que voulez-vous, ma chère enfant ? demanda-t-il en arrêtant son cheval.

— Monsieur le docteur, n'y aurait-il pas un moyen de guérir tout à fait Rachel ?... de la rendre comme tout le monde ?

Elle joignait les mains et le regardait d'un air suppliant.

— Eh ! là, ma petite, comme vous y allez ! La guérir, tout à fait... Avec du temps, peut-être...

Le visage de l'enfant témoigna d'une désolation si profonde que le bon docteur en fut bouleversé.

— Voyons, ma chère petite, il ne faut pas désespérer ! Je vous le dis, la santé de votre sœur peut subir une grande amélioration... Il y aurait bien aussi quelque chose à essayer... On m'a parlé d'un vieux médecin hongrois qui soigne ce genre d'affection par une méthode particulière, très lente et peu douloureuse. Il a, paraît-il, réussi en bien des cas difficiles. Mais c'est un homme fort intéressé, qui demande des prix exorbitants.

Myriam murmura :

— Je ne sais pas si nous avons beaucoup d'argent...

— Vous pourriez en parler à celui qui remplacera votre tuteur... car, hélas, le pauvre comte de Hornstedt n'a plus beaucoup de temps à vivre.

— Quel malheur ! dit Myriam, les larmes aux yeux... Vous ne pouvez pas le guérir, monsieur le docteur ?

— Non, malheureusement ! C'est un excellent protecteur que vous perdez là, petite fille ; mais son fils et très bon aussi, en dépit de son air assez froid, et je suis persuadé que vous n'aurez pas à vous plaindre de lui... Allons, bonsoir, enfant, et à demain...

Il lui adressa un signe amical et fit repartir son

petit cheval qui avait écouté l'entretien en secouant
sa longue crinière.

Myriam, lentement, revint à la maison. La mine
songeuse, elle regagna la chambre où sa sœur, assise
près de la fenêtre, lutinait le petit chien étendu sur
ses genoux.

S'approchant de Rachel, l'aînée lui mit un baiser
sur le front.

— Chérie, tu seras bien sage... Je vais aller faire
une course...

— Une course ? répéta Rachel, stupéfaite. Pas
toute seule ?

— Si. J'irai très vite et je ne serai pas longtemps,
tu verras.

— Mais il fait presque nuit !

— Oh ! je n'ai pas peur, et je me rappellerai
bien le chemin.

— Le chemin de quoi ?

— Je te le dirai en revenant.

Et prestement Myriam s'enveloppa la tête d'une
capeline. Puis, descendant sans bruit pour ne pas
attirer l'attention de Mme Sulzer, elle se glissa hors
de la maison et se mit à courir dans la direction du
parc.

La tranquille et sérieuse Myriam avait parfois de
ces impulsions irrésistibles. Elle voulait demander
au jeune comte de Hornstedt la permission de faire
soigner Rachel par le médecin hongrois. Son esprit
enfantin estimait qu'il n'y avait pas une minute à
perdre, et c'est pourquoi elle s'en allait vers le
château, sans souci de la nuit toute proche et du
mécontentement de Mme Sulzer.

En approchant, elle vit le vestibule très éclairé,
des gens allant et venant, fort affairés... Oserait-
elle entrer par là ? Non, mieux valait chercher une

petite porte de service. Elle demanderait alors au premier domestique qu'elle rencontrerait de la conduire près du jeune comte.

Ayant contourné la sombre masse du château, elle aperçut deux portes-fenêtres ouvertes et éclairées, donnant sur une terrasse de pierre.

La clarté d'une lampe puissante posée sur une table permit à l'enfant de distinguer un homme assis qui tenait son visage appuyé contre ses mains jointes.

Myriam le reconnut aussitôt. C'était celui qu'elle cherchait, le fils du comte Chlodwig.

Sans hésitation, la petite fille gravit les degrés de la terrasse. Elle n'appréhendait pas de s'adresser à lui, car le docteur Blück avait dit qu'il était très bon, et elle-même se souvenait qu'il s'était montré compatissant pour Rachel, cet après-midi où Mme Sulzer avait conduit les petites étrangères chez le comte Chlodwig.

Son pas léger ne fut pas entendu de Siegbert, absorbé dans ses douloureuses pensées. Elle arriva près de lui et dit timidement :

— Monsieur le comte...

Il sursauta, releva la tête et jeta une exclamation où la colère se mêlait en forte proportion à la surprise. D'un mouvement brusque, il se leva, les yeux étincelants de la plus violente irritation...

— Que venez-vous faire là ?... Misérable petite créature, vous n'avez encore rien à réclamer !... Hors d'ici !

Il étendait le bras en lui indiquant la porte. Mais l'enfant, terrorisée par cet accueil, demeurait figée sur place.

La colère qui bouillonnait dans l'âme de Siegbert éclata soudainement. Le jeune homme s'avança vers Myriam, lui saisit le bras et la secoua violemment.

— M'obéirez-vous ?... Vite, dehors... et que je ne vous revoie plus, odieuse enfant !

Il l'entraîna vers la fenêtre, la poussa dehors et ferma la porte avec force.

L'enfant chancela, chercha en vain un appui et tomba sur la terrasse. Son front heurta un angle de la balustrade. Elle ressentit une douleur aiguë et sentit un liquide tiède qui coulait sur son visage.

Le premier étourdissement passé, elle se mit debout et, toute chancelante, descendit les degrés. Son pauvre petit cerveau bourdonnait. Comme une automate, elle s'en alla vers le parc, tout en songeant : « Pourquoi !... pourquoi ?... »

Avec son mouchoir, elle essuyait les gouttes tièdes qui glissaient le long de sa joue. Ses jambes tremblantes avaient peine à la porter, et le trajet si vite fait tout à l'heure lui semblait interminable.

Enfin, elle atteignit la Maison des Abeilles. Aux exclamations de Dorothée, la jeune servante, qui vint ouvrir à l'enfant, Mme Sulzer accourut.

— Eh bien, que vous est-il arrivé ? s'écria la femme de charge. Vous vous êtes bien arrangée !... Bon, la voilà qui se pâme, maintenant !

Elle fit boire un cordial à la petite fille, lava la blessure, y appliqua une compresse d'une certaine eau dont elle avait le secret. Après quoi, elle voulut interroger Myriam. Mais elle se heurta au mutisme le plus obstiné. Il en fut de même pour Rachel, très effrayée à la vue du front bandé de sa sœur. Myriam renfermait dans son cœur une blessure plus profonde, car, simple et confiante, elle était allée vers cet étranger qu'elle croyait bon, pitoyable, et elle s'était vue cruellement chassée, comme une

criminelle, sans avoir pu ouvrir la bouche pour
s'expliquer, pour se défendre.

Ce soir-là, dans le lit où elle s'agitait, car elle
avait un peu de fièvre, l'enfant songea, en un
mouvement de colère :

« Si Rachel ne guérit pas, ce sera « sa » faute...
Je le déteste !... et je serais contente de le voir
souffrir, puisqu'il n'a pas eu pitié d'une pauvre
petite fille comme moi ! »

⁂

Si Myriam avait pu pénétrer les pensées de Siegbert, ce jour-là et ceux qui suivirent, elle aurait vu
son désir satisfait. Les causes de souffrance ne manquaient pas pour lui, en effet. La mort de son père
l'atteignait dans son affection filiale ; le souvenir
de la promesse faite, la perspective de l'avenir lui
étaient une torture toujours présente... Puis encore,
il songeait à Carolia, à la douloureuse nouvelle
qu'il faudrait lui apprendre bientôt — le plus tôt
possible, car il ne pouvait lui laisser entretenir
cette espérance irréalisable.

En outre, il éprouvait déjà les effets de la ruine
qui s'était abattue sur la maison de Hornstedt.
Glotz, le fidèle intendant, lui communiquait les
lettres d'hommes d'affaires, des réclamations de
créanciers. Tous comptes faits, il résultait que la
vente de Hoendeck s'imposait et que Siegbert,
après cela, ne disposerait plus que d'un maigre
capital insuffisant pour le faire vivre, s'il n'y ajoutait les revenus d'une position que son nom, et l'intérêt très bienveillant dont l'avait honoré le souverain, ne pouvaient manquer de lui faire obtenir.

La pensée de perdre Hoendeck, ce berceau de la

race des Hornstedt, semblait dure à Siegbert. Mais
elle l'eût été bien plus encore quelque temps auparavant, car maintenant il considérait son existence
comme brisée, devenue sans but, par suite de
l'odieuse obligation qui pesait sur lui. Hoendeck
ne verrait pas entre ses murs la petite-fille de l'usurier, la fille du grand seigneur déchu. Cependant,
il ne sortirait pas de la famille, car Siegbert avait
écrit à son parent, le prince de Hornstedt-Iffigen,
pour lui demander de racheter le domaine et,
d'avance, il savait que la réponse serait affirmative.

Les Hornstedt-Iffigen constituaient la branche
aînée de la famille. Un siècle auparavant, ils
avaient reçu les titres de prince et d'Altesse Séré-
nissime en considération de brillants services diplo-
matiques et militaires. Leurs biens immenses, les
hautes charges qu'ils occupaient à la cour de père
en fils les rangeaient parmi les plus importantes
personnalités de l'Empire.

Bien que les relations eussent été quelque peu
tendues entre le défunt et le chef actuel de la maison, le prince Maximilien, celui-ci écrivit à Siegbert de façon très bienveillante et répondit, par
une pleine acceptation, à la demande du jeune
homme.

Cette lettre fut remise au comte un matin, alors
qu'il revenait de sa quotidienne promenade à cheval, faite en dépit du temps affreusement pluvieux,
car il essayait ainsi d'atténuer la tension de nerfs
produite par ses pénibles préoccupations. Après
l'avoir parcourue, il la posa sur son bureau en
murmurant mélancoliquement :

— Pauvre Hoendeck, bientôt tu ne m'appar-
tiendras plus.

Les bras croisés, il demeura debout, absorbé

dans ses pensées douloureuses. Tout récemment, il
venait de perdre le léger espoir qu'il conservait
encore de pouvoir échapper à l'union imposée.
Myriam Würmstein, s'était-il dit, pouvait refuser
de l'épouser. Alors, en ce cas, lui se trouvait libéré
de sa promesse... Mais dans les papiers de son père,
il avait trouvé les dernières volontés de celui-ci,
écrites pour Siegbert au cas où le malade n'aurait
pas eu la force ou le courage de parler, et relatant
l'obligation imposée par le comte Würmstein, avec
plus de détails que n'en avait pu donner le mourant.

Siegbert y voyait cette assurance formulée par le
père de Myriam, qu'Eliezer Onhacz ne s'occupe-
rait jamais de ses petites-filles, lesquelles lui étaient
indifférentes... et il apprenait aussi que le comte
Würmstein, dans un écrit laissé pour sa fille aînée,
lui imposait, comme une volonté formelle de sa
part, le mariage avec Siegbert de Hornstedt.

Il avait tout prévu, cet être démoniaque. Non
content du scandale qu'avaient provoqué son existence d'aventurier et plus encore son mariage avec
la fille de l'usurier, il voulait introduire une tache
ineffaçable dans la généalogie d'une des plus illustres, des plus orgueilleuses familles de son pays.
Ainsi, le misérable se vengeait du mépris dont
l'avaient couvert ses pairs, et en même temps préparait à sa fille un mariage avantageux, car il devait
croire les Hornstedt encore riches.

« Oui, un misérable !... un misérable ! » songeait
Siegbert avec une sourde colère.

Un coup frappé à la porte vint interrompre ses
pénibles réflexions. La comtesse Sophie entra, une
lettre à la main. Elle semblait excessivement émue
et agitée. Sur son large visage, une rougeur vive

avait remplacé la teinte un peu blafarde qui lui était habituelle.

D'une voix changée, elle demanda :

— Je ne te dérange pas, Siegbert ?... J'ai à te communiquer une nouvelle...

— Vous ne me dérangez en aucune façon, ma tante. Je vous prie seulement de m'excuser de vous recevoir en cette tenue...

Il montrait ses bottes éclaboussées de boue.

— ... Je rentre de ma promenade et il fait un temps abominable... Prenez ce fauteuil, et dites-moi quelle est cette nouvelle qui semble vous émouvoir si fortement.

— Il y a de quoi !

Et Mme de Hornstedt se laissa tomber sur le siège que lui approchait son neveu.

— ... Une enfant que nous avions tant choyée !... Un projet caressé depuis si longtemps !... Et tout à coup apprendre cette chose inconcevable !

Siegbert tressaillit.

— De quoi s'agit-il ? demanda-t-il avec quelque brusquerie.

— Tiens, lis toi-même, mon pauvre enfant... C'est M. de Hultz qui m'écrit... Évidemment, lui et sa femme, cette cervelle creuse, sont cause de tout ! Ils l'ont poussée à cette sottise... à cette ingratitude. Mais jamais je n'aurais cru cela d'elle... jamais !... jamais ! s'écria la comtesse en portant son mouchoir à ses yeux.

Siegbert s'approcha d'une fenêtre et, impassible en apparence, il commença de lire...

« Vous me voyez désolé, chère cousine, de n'avoir pu quitter Marienbad pour venir vous témoigner, ainsi qu'au comte Siegbert de Hornstedt, ma pro-

fonde sympathie pour la grande peine qui vous
frappe. Mais les médecins, ces tyrans, m'ont absolument interdit ce déplacement. Croyez qu'à défaut
de notre présence, nous avions notre pensée près de
vous, près de votre cher neveu, si éprouvé de toutes
façons. Car ces jours derniers nous avons appris la
ruine totale d'une fortune si belle autrefois. Tous
nos regrets, toutes nos sympathies sont avec lui,
dites-le-lui bien, ma chère Sophie.

« Ainsi que Carolia vous l'a elle-même écrit, une
malencontreuse entorse l'obligeant à l'immobilité
absolue a seule empêché qu'elle se rendît à Hoendeck pour les funérailles de celui en qui elle a toujours trouvé la bonté d'un père. Je n'ai pas à vous
dire tous ses regrets, car elle a su vous les exprimer
mieux que moi.

« Il me faut maintenant en arriver, ma chère
cousine, à une communication de nature un peu
délicate. Je vais aller, n'est-ce pas, franchement au
but ?... Il s'agit du projet d'union vaguement
ébauché entre votre neveu et ma pupille. Carolia,
qui recueille ici les plus grands succès, vient d'être
demandée en mariage par le prince Arnulf de Storberg. Bien que l'âge de celui-ci l'eût d'abord fait
quelque peu hésiter, elle s'est décidée hier à l'acceptation, et la voilà fiancée. Dans quelques jours
la nouvelle sera officielle. Le duc régnant, frère du
prince, n'ayant accordé son consentement que pour
un mariage morganatique, Carolia portera le titre
de comtesse de Sargen.

« Vous voudrez bien, n'est-ce pas, ma chère
Sophie, annoncer diplomatiquement la chose à
votre neveu ? J'espère que ni lui, ni vous n'en
tiendrez rancune à cette chère enfant. Songez combien, belle et brillante comme elle l'est, il lui eût

été difficile d'accepter l'existence médiocre qui serait désormais celle d'une comtesse de Hornstedt. Elle y a réfléchi longuement et, le cœur déchiré, s'est décidée à suivre la voix de la raison.

« Sachant le chagrin qu'elle va vous causer, elle n'ose encore vous écrire et m'a chargé de solliciter son pardon. Je ne doute pas que vous le lui accordiez, ma chère Sophie, car vous êtes trop intelligente et vous aimez trop cette charmante Carolia pour ne pas comprendre qu'en acceptant ce mariage, elle témoigne d'un esprit sérieux et d'un sens très pratique de la vie. Ce n'est pas avec des sentiments romanesques, vous le savez comme moi, que l'on fait son chemin dans l'existence ! ! Le comte de Hornstedt, j'en suis persuadé, se montrera aussi raisonnable qu'elle en reconnaissant que, dans l'état actuel des choses, il n'aurait pu donner à sa femme le bonheur rêvé.

« Tous nos regrets encore, chère cousine... »

Siegbert s'arrêta là, replia la lettre et se tourna vers sa tante, qui épiait anxieusement ses impressions.

— En effet, il a tout à fait raison, M. de Hultz ! Sa pupille possède, à un degré très éminent, le sens pratique de la vie.

Avec une sorte de rire sardonique, le jeune homme, s'avançant, jeta la lettre sur les genoux de sa tante.

— ... Voilà un mariage décidé fort à propos... dès qu'elle a été bien assurée que ma ruine est réelle. Mlle d'Eitchen est vraiment une personne prudente et avisée.

La comtesse gémit :

— Oh ! aurions-nous jamais imaginé pareille

chose !... Une enfant que j'ai élevée... qui nous
était très attachée... qui t'aimait tant, Siegbert !

Il riposta d'un ton de sarcasme :

— Cela se voit, en effet !

— Si, je t'assure ! Mais elle a eu peur d'une
existence gênée. Il faut convenir que... la situation
était bien changée pour elle...

— Mais j'en conviens parfaitement.

Elle jeta un regard perplexe sur cette physionomie dont le calme railleur l'étonnait.

— D'ailleurs, toute la responsabilité de ce mariage revient aux Hultz ! déclara-t-elle avec véhémence. Ils y ont poussé Carolia, en lui faisant
envisager tous les désavantages d'une union avec le
comte de Hornstedt ruiné. Si elle était restée près
de nous, elle n'aurait pas changé d'idée !

— Voilà qui n'est pas certain. Je suis persuadé
au contraire que, vu l'état de mes finances, elle se
serait arrangée de façon ou d'autre pour écarter
ce projet de mariage. Evidemment, M. de Hultz
et sa femme ont eu leur part d'influence dans cette
affaire, mais soyez assurée que Mlle d'Eichten a su
très bien par elle-même réfléchir et se décider à
bon escient. Dans cette union, elle ne cède à aucun
entraînement autre que celui de l'ambition, puisque ce mariage — son tuteur ne le cache pas —
est de sa part uniquement un mariage de raison.
Ainsi donc, laissez-lui sa grande part de responsabilité, sans chercher à l'excuser devant moi.

— Mais je ne l'excuse pas !... Certainement elle
est très coupable de manquer à la parole donnée...

— Il n'y a pas eu de parole donnée. Cela lui
épargne même la peine de la rendre... Mais oui,
elle était absolument libre. Siegbert de Hornstedt,
riche, lui plaisait. Pauvre, elle se détourne de lui.

Ceci ne peut étonner ceux qui ont quelque expérience de la vie.

De plus en plus stupéfaite, Mme de Hornstedt considérait le beau visage froidement ironique.

— Siegbert... vraiment, cela ne te chagrine pas trop ?

— Me chagriner ?... Pour l'abandon de cette coquette ambitieuse ? Franchement, je ne suis pas un imbécile de cette trempe ! Le dédain et l'oubli, voilà tout ce que mérite de ma part la future comtesse de Sargen.

Mme de Hornstedt se leva, en disant avec une satisfaction visible :

— J'en suis contente pour toi, mon enfant ! Je craignais de te voir souffrir par la faute de cette petite ingrate... Une enfant que j'aimais tant ! Ah ! jamais je ne la reverrai de ma vie.

Elle s'éloigna après avoir longuement pressé la main que son neveu lui abandonnait distraitement.

Siegbert s'approcha de son bureau, prit un cigare, l'alluma et, s'asseyant, se mit à fumer, la tête un peu renversée contre le dossier du fauteuil. Il semblait absolument maître de lui, aussi peu ému que s'il venait d'apprendre les fiançailles d'une étrangère. Mais, à l'ombre des cils un peu baissés, les yeux avaient une lueur de sourde irritation.

Tout à coup, jetant son cigare, il ouvrit un tiroir et y prit une photographie — celle de Carolia... Pendant un moment, il considéra le joli visage, les yeux souriants où il avait toujours cru lire tant d'affectueuse confiance et de tendre admiration.

— Mensonge !... mensonge et ambition ! murmura-t-il âprement. Voilà tout ce qui existe chez elle... Du moins, je n'aurai rien à regretter de ce côté.

Il se leva, déchira en plusieurs morceaux la gracieuse image et, s'approchant d'une fenêtre, jeta les débris au dehors.

— Je te méprise, toi et toutes tes pareilles ! dit-il avec un accent d'énergique dédain.

DEUXIEME PARTIE

I

— Quel temps, Seigneur ! gémit Mme Sulzer.

Elle rentrait de la messe dominicale par une pluie diluvienne. Sur le dallage du vestibule, sa jupe mouillée traça des sillons humides... La servante accourait, des chaussons fourrés à la main. Quand Mme Sulzer eut quitté ses souliers boueux, elle se dirigea vers l'escalier, en relevant très haut sa jupe dans la crainte d'effleurer seulement les marches brillantes. Ayant gagné sa chambre, elle s'empressa de revêtir des vêtements secs. Après quoi, un peu rassérénée, car les sorties par le mauvais temps la rendaient toujours d'humeur détestable, elle se mit à ranger, à essuyer autour d'elle avec la minutie qui lui était habituelle.

Sur la cheminée, dans des cadres de bois sculpté, se voyaient les photographies de son mari, d'une petite fille morte toute jeune, de sa nièce, Catharina Halner, qui lui avait succédé dans ses fonctions de femme de charge... Mais en avant de toutes trônait celle du jeune seigneur : Siegbert, prince de Hornstedt.

Chaque jour, Mme Sulzer s'arrêtait longuement
pour le contempler avec une orgueilleuse allégresse.
Il était véritablement son idole, ce jeune homme
qu'elle avait connu tout petit enfant, et bercé entre
ses bras. Aussi avait-elle souffert au plus profond
de son âme, quand la ruine s'était abattue sur lui,
et qu'elle avait connu l'abandon de Carolia d'Eichten... Mais bientôt, quelle revanche ! Mme Sulzer
ne pouvait songer sans un délicieux frisson rétros-
pectif à la joie qui l'avait saisie en apprenant la
nouvelle inattendue — joie qu'elle s'était ensuite
reprochée, comme peu chrétienne, car enfin Siegbert devait son changement de situation au double
malheur survenu chez le prince de Hornstedt-Iffigen. Le fils unique du prince Maximilien avait péri
dans un accident de montagne, et le malheureux
père en apprenant la nouvelle était tombé frappé
de congestion.

Cela s'était produit six semaines environ après
la mort du comte Chlodwig, le jour même où
Siegbert allait quitter la demeure qui ne lui appartenait plus — le lendemain du jour où Carolia
d'Eichten épousait le prince de Storberg.

Les biens immenses, les hautes dignités des princes défunts faisaient retour au jeune comte de
Hornstedt... Et dès ce moment, la fortune parut se
plaire à combler Siegbert. Bien qu'il ne fût pas un
courtisan, ce jeune homme, doué d'un esprit sérieux et d'une rare intelligence, avait conquis, sans
la chercher, la faveur de son souverain. Chargé
d'une délicate mission diplomatique, il la conduisit
avec un tel doigté, un tact si parfait que le succès
dépassa tout ce qu'on avait escompté. La plus haute
décoration de l'Empire avait été, à cette occasion,
décernée au prince de Hornstedt qui, en outre,

était comblé des marques d'amitié de l'empereur et se voyait l'objet des empressements de toute la cour.

Mme Sulzer, par les lettres de sa nièce Catharina, par les journaux que celle-ci lui envoyait, suivait avec un orgueilleux bonheur l'ascension de celui qu'elle avait vu prêt à quitter en pauvre la demeure de ses ancêtres. Elle s'attendait à apprendre, d'un jour à l'autre, la nouvelle qu'il s'unissait à quelque jeune fille de haute origine — qui sait, peut-être à une jeune archiduchesse ! Catharina disait qu'il rencontrait les succès les plus flatteurs, à la cour et dans le monde, à Vienne comme dans les autres capitales d'Europe où l'envoyait la confiance de son souverain... Mais jusqu'ici encore, il n'était pas question de mariage. Le prince voyageait beaucoup, menait un très opulent train de vie et semblait oublier son vieil Hoendeck — au secret désappointement de Mme Sulzer. Pendant les cinq années qui venaient de s'écouler, il n'y était venu que trois fois, pour se rendre sur la tombe de son père, et en était reparti au bout de quarante-huit heures. A son dernier séjour, l'année précédente, Mme Sulzer, retenue par une crise de rhumatismes, n'avait pu aller le saluer. Les vieux serviteurs qui gardaient le château lui avaient dit que Son Altesse paraissait d'humeur très sombre et que les autorités de Gleitz, venues pour lui offrir leurs hommages et solliciter quelques faveurs, s'étaient vu refuser une audience... Mme Sulzer en avait éprouvé une surprise, car autrefois son jeune maître, en dépit de ses allures un peu hautaines, se montrait bienveillant et facilement accessible. Quel motif de contrariété pouvait donc avoir cet homme comblé de tous les dons, couvert d'honneurs et entouré d'adulations ?

Quand elle eut bien considéré encore la photographie, ce matin-là, en se disant qu'elle donnerait
beaucoup pour contempler son cher seigneur en
toute réalité, Mme Sulzer se remit à son épousse-
tage... Mais presque aussitôt, la voix flûtée de Dorothée cria dans l'escalier :

— Voilà le facteur !... Il y a des lettres, madame
Sulzer !... Et une avec une couronne dessus, et du
si joli papier !

— Arrive donc vite, bavarde, au lieu d'examiner ma correspondance ! Quelles curieuses, que
ces petites pécores !... Une lettre avec une couronne ? Qu'est-ce qu'elle me raconte là ?

Mais une bouffée de sang monta au visage jauni
de la vieille femme quand elle tint entre ses mains
les lettres apportées par la servante. L'une des
enveloppes, satinée, d'un doux gris pâle, était tim-
brée d'une petite couronne princière et fermée d'un
cachet portant les armoiries de Hornstedt.

A demi étouffée par l'émotion. Mme Sulzer songea : « Est-ce que... ce serait Son Altesse ? »

Fébrilement, elle décacheta l'enveloppe et en
sortit une carte portant quelques lignes d'une haute
écriture masculine...

« Si vos rhumatismes vous laissent en ce moment
quelque repos, ma bonne Sulzer, venez me trouver
à Vienne. J'ai une importante communication à
vous faire et une mission de confiance à vous donner. En même temps, j'aurai plaisir à revoir celle
qui s'est montrée toujours une si dévouée servante
de ma famille. Je compte sur vous demain soir. En
cas d'impossibilité, avertissez-moi par retour du
courrier. Surtout, je vous recommande une discrétion absolue.

                    « PRINCE DE HORNSTEDT. »

Pendant un long moment, Mme Sulzer demeura figée dans l'ébahissement. Son maître l'appelait à Vienne !... et pour une mission de confiance !... elle, Martha Sulzer, qui se précipiterait dans une fournaise, sur un mot de lui ! Quelle joie et quel honneur de pouvoir lui prouver ainsi son dévouement !

Quant à la nature de cette mission, Mme Sulzer se perdait en conjectures. Il fallait que ce fût quelque chose de bien important, pour que le prince écrivît lui-même, sans l'intermédiaire de son intendant... ni même de son secrétaire, comme se le répétait orgueilleusement Mme Sulzer en approchant de son long nez la carte qui fleurait un discret parfum de violette.

Elle la rangea précieusement dans un tiroir, près d'autres souvenirs de Siegbert enfant : une boucle brune soustraite un jour où l'on avait coupé les cheveux du petit comte, un mignon soulier blanc, une collerette de dentelle déchirée... puis, secouant sa stupéfaction, elle courut à la recherche d'un indicateur, le compulsa fiévreusement, nota l'heure des trains. Cela fait, elle ouvrit une vaste armoire et atteignit sa robe de soie noire — la toilette des grandes cérémonies. D'un carton, elle sortit son plus beau chapeau, et elle eut un soupir de regret en songeant qu'elle n'avait pas voulu en faire confectionner un neuf cet hiver, celui-ci, bien que datant de trois années, lui paraissant très suffisant pour les gens de Gleitz. Ah ! si elle avait pu prévoir l'honneur qui l'attendait !

Dans sa préoccupation et son allégresse, Mme Sulzer oubliait l'autre lettre arrivée en même temps que celle du prince. Le soir, elle la retrouva sur le

coin de la cheminée où elle l'avait machinalement
posée.

— Ah ! c'est de la petite Myriam ! murmura-
t-elle, en voyant l'inscription tracée d'une jolie
écriture élégante.

Les deux sœurs, depuis cinq ans, se trouvaient
dans un couvent de Styrie dont la Supérieure était
une amie de Mme Oldrecht. Après la mort de son
père, le comte Siegbert, se désintéressant complètement des petites filles, avait confié leur tutelle à
Glotz, l'intendant de Hoendeck. Celui-ci adminis-
trait leur fortune, payait les frais de leur éducation,
mais ne s'occupait pas autrement d'elles. C'était à
Mme Sulzer que Myriam et Rachel écrivaient trois
ou quatre fois dans l'année, pour lui donner de
leurs nouvelles, ainsi qu'elle le leur avait demandé.
Si peu sensible que fût l'ancienne femme de charge,
elle n'avait pu échapper au charme qui se dégageait
de ces deux enfants, et continuait de leur porter
un certain intérêt qui se traduisait par l'invitation
de venir passer aux vacances un mois à la Maison
des Abeilles. L'année précédente seulement, elles
n'y avaient point paru, Rachel se trouvant à ce
moment trop souffrante pour voyager. Mme Sulzer
avait bien eu alors un moment l'idée de les aller
voir, mais elle y avait renoncé, la dépense de ce
voyage, à la réflexion, lui ayant paru absolument
inutile. Par l'intermédiaire de Mme Oldrecht, elle
savait que les enfants étaient des modèles de sagesse
et de piété, que Rachel acceptait avec une touchante résignation son infirmité, que Myriam émer-
veillait ses éducatrices par ses rares qualités de
cœur et d'intelligence, et qu'elle devenait une jeune
fille « admirablement jolie », ajoutait la Supérieure
dans sa dernière lettre à la nièce du docteur

Blück... Tous ces détails suffisaient après tout à Mme Sulzer, qui taxait de faiblesse son intérêt pour ces étrangères, petites-filles d'un être méprisable — intérêt qu'elle attribuait surtout au souvenir de sa petite fille morte, que Rachel lui rappelait.

Ce soir-là, elle parcourut rapidement la lettre dans laquelle Myriam lui donnait des nouvelles de sa sœur, meilleures en ce moment.

« Le médecin paraît satisfait, ajoutait la jeune fille. Mais il croit qu'un changement d'air lui serait utile — air de la montagne ou de la forêt, à notre gré. On m'a parlé ici d'un couvent, dans le Tyrol, qui reçoit quelques pensionnaires. Ne pensez-vous pas que je pourrais écrire à M. Glotz pour lui demander l'autorisation de nous installer là, pendant quelques mois ? »

Mme Sulzer grommela, en repliant la lettre :

— Bien sûr, qu'elle peut écrire à Glotz ! Il dira oui, parce que ça lui est bien égal qu'elles soient ici ou là, qu'elles dépensent leur argent d'une manière ou d'une autre... L'argent de leur voleur de grand-père !

Et sur cette conclusion pleine de dégoût, elle mit au hasard la lettre de Myriam dans un tiroir. Aujourd'hui, en vérité, elle avait bien autre chose à faire que de s'intéresser à ces étrangères !

II

Le lendemain matin, Mme Sulzer, rayonnante et
parée comme aux grands jours, s'en alla prendre à
Gleitz la diligence qui devait la conduire à la plus
proche station de chemin de fer. Elle laissait Dorothée tout ébahie et fort intriguée de ce voyage subit
« pour voir une nièce », avait dit seulement l'ancienne femme de charge.

La nuit était complète, quand Mme Sulzer arriva
à Vienne. Elle prit une voiture et se fit conduire au
palais de Hornstedt, l'une des plus vastes et des
plus magnifiques résidences de la capitale autrichienne.

Quand elle eut franchi le seuil d'un vestibule
immense, décoré de fresques de Tiepolo et féeri-
quement éclairé, la vieille femme vit s'avancer vers
elle un des laquais, debout près de l'entrée, qui lui
demanda son nom et, ayant visiblement reçu des
ordres, la conduisit aussitôt, par une enfilade de
pièces d'une splendeur sobre et artistique, jusqu'à
un petit salon où il la laissa en la priant de
s'asseoir.

Mme Sulzer était trop émue pour admirer en
détail la décoration de cette pièce qui devait être
souvent habitée, ainsi qu'en témoignaient le piano
à queue ouvert, des livres sur une table, la légère
odeur de fin tabac flottant dans l'atmosphère tiède,
mêlée au parfum délicat de violettes d'un mauve
rosé, disposées un peu partout dans des cristaux
de Bohême. La violette avait toujours été la fleur

préférée de Siegbert de Hornstedt, et maintenant
il en faisait cultiver pour lui toute l'année, dans
les serres de son château de Gœlbrunn.

Non, en dépit de tout le plaisir qu'elle s'était
promis dans l'admiration des splendeurs au milieu
desquelles vivait son cher jeune seigneur, Mme Sulzer ne pouvait arrêter son attention sur ce qui l'entourait. De plus en plus, elle se demandait avec
anxiété la raison de cette convocation.

Une porte s'ouvrit tout à coup, une svelte
et haute silhouette masculine s'encadra dans l'ouverture.

Mme Sulzer se leva précipitamment et plongea
dans une profonde révérence.

— Bonjour, ma bonne Sulzer, dit une voix brève
dans laquelle passaient des intonations bienveil-
lantes. Je vous remercie d'avoir répondu si vite à
mon appel.

— Oh ! Altesse !... Votre Altesse sait bien que
sa pauvre Sulzer est toujours à sa disposition !

— Oui, je sais que je puis compter sur votre
dévouement... et je vais vous donner une preuve
de ma confiance. Venez par ici.

Elle le suivit dans la pièce voisine, un cabinet
de travail éclairé par des lampes voilées de vert
pâle et parfumé de cette même senteur de violettes.
Siegbert prit place dans un fauteuil, près de son
bureau, et indiqua du geste à Mme Sulzer un siège
en face de lui.

Elle s'assit, tout en le couvrant d'un regard res-
pectueusement admirateur. De fait, il eût été difficile d'atteindre à la souveraine élégance avec
laquelle le prince de Hornstedt portait sa tenue du
soir. Les beaux traits de son visage s'étaient viri-
lisés, en ces quelques années, tandis que s'accen-

tuaient cet air d'assurance hautaine, cette allure altière qui existaient déjà chez lui autrefois. Mais si Mme Sulzer n'avait pas été en une telle extase, elle aurait aussitôt remarqué l'expression presque sombre de cette physionomie, la dureté impérieuse du regard, le pli d'ironie froide des lèvres — toutes choses qui rendaient le prince fort différent du Siegbert de Hornstedt que l'ancienne femme de charge avait connu.

Il s'accouda au bureau et dit de la même voix brève :

— Promettez-moi d'abord, Sulzer, le secret absolu sur ce que je vais vous apprendre et sur ce qui se passera ensuite. Une de vos qualités est la discrétion, je le sais ; or, vous aurez à en faire preuve en cette circonstance.

Mme Sulzer déclara solennellement :

— Votre Altesse peut compter sur moi ! Pas un mot de sortira de ma bouche sans sa permission !

— C'est bien... Maintenant, écoutez-moi... sans manifester aucun étonnement, quelque stupéfiante que puisse vous paraître ma communication.

— Bien, Votre Altesse, murmura Mme Sulzer, un peu abasourdie et inquiète de l'accent singulier, dur et glacé que prenait la voix du prince.

— Voici de quoi il s'agit... Par suite d'un serment fait autrefois par mon père, et renouvelé par moi à son lit de mort, je dois épouser la fille aînée du comte Würmstein quand elle aura seize ans...

Mme Sulzer sursauta en retenant une exclamation, et ses yeux écarquillés témoignèrent d'un ahurissement inexprimable.

D'une voix calme et tranchante, Siegbert continuait :

— J'ai su par Glotz que cette jeune fille avait

eu, cette année, l'âge désigné. Sa **Majesté me**
confiant une mission qui doit me retenir hors d'Autriche un an au moins, je veux liquider auparavant
cette formalité. La cérémonie se fera en Italie,
secrètement, car ma volonté est qu'en dehors des
indispensables témoins, nul ne connaisse ce mariage. La comtesse Würmstein ne portera donc pas
mon nom, mais un autre quelconque... par exemple, celui de Hakenau, qui est celui d'une petite
propriété que mon père avait naguère achetée en
Bavière. Etant donné son âge, j'ai compté sur vous,
Sulzer, pour lui servir de mentor et la recevoir chez
vous, au moins pendant quelques années. Il sera
seulement indispensable qu'après la cérémonie,
vous voyagiez un peu, durant plusieurs mois, pour
donner de la vraisemblance à l'histoire que vous
serez obligée de raconter : veuvage ou abandon,
au choix de la comtesse Würmstein. Vous laisserez
les choses dans le vague, du reste, et renverrez poli-
ment les questionneurs à leurs affaires.

Mme Sulzer se demandait si elle ne rêvait pas. Ses
prunelles dilatées par la stupéfaction ne quittaient
pas la physionomie durcie du prince, les yeux superbes où passaient des lueurs d'irritation contenue.

Siegbert, après un court silence, demanda :

— Savez-vous quelle est la nature de cette jeune
fille, Sulzer ?

— D'après ce qu'en dit la Supérieure, Votre
Altesse, elle est restée ce qu'elle était quand je l'ai
vue il y a deux ans : douce, en même temps
qu'énergique parfois, lorsqu'il s'agit du bien de sa
sœur, par exemple, très pieuse, de goûts simples,
aimant beaucoup l'étude.

— Il est indispensable qu'elle se rende bien

compte de la situation, et qu'elle l'accepte en toute
loyauté. Très probablement, elle ignore ce qu'est
son grand-père. Il serait cruel de le lui apprendre.
Mais vous pourrez lui laisser entendre qu'en l'épousant pour accomplir le serment exigé de mon père
en retour d'un service rendu par le comte Würmstein, je fais une très grande mésalliance, étant
donné l'origine de sa mère — une mésalliance qui,
au cas où elle serait connue, m'obligerait à m'éloigner de la cour, changerait complètement mon existence. Si cette jeune fille est intelligente et douée
de quelque délicatesse, elle comprendra quel dur
sacrifice représente pour moi ce mariage forcé,
quelle position difficile, insoutenable serait la nô-
tre, si nous ne vivions pas séparés, et elle se sou-
mettra docilement à ce que j'exige d'elle. Chacun
de nous, une fois accomplie la pénible formalité de
ce mariage imposé, conservera donc toute son indépendance — limitée seulement pour la comtesse
jusqu'à sa majorité. Mais elle devra prendre l'engagement de garder le secret absolu sur cette union,
et de renoncer à jouir de la fortune maternelle. Je
lui servirai une pension supérieure aux revenus de
ladite fortune, dont la source est trop odieuse pour
que je supporte que cette jeune femme en vive,
quelque illusoire que soit le lien qui doit nous unir.
Tout ceci, vous le lui expliquerez, Sulzer, de telle
sorte qu'elle comprenne bien que j'obéis seulement
à une inéluctable obligation, que nous resterons
toujours des étrangers l'un pour l'autre et qu'elle
n'ait pas un instant l'espoir de voir changer cette
situation.

— Je ferai du moins tout mon possible, Votre
Altesse...

Il se renversa un peu dans son fauteuil et, pendant un instant, ses doigts tourmentèrent nerveusement un coupe-papier pris sur son bureau.

— J'ai hâte que ce soit terminé ! reprit-il tout à coup avec une sorte de violence froide. Donc, le plus tôt possible, demain si vous n'êtes pas fatiguée, vous partirez pour ce couvent, vous ferez part à la comtesse Würmstein de ce que je viens de vous dire. Puis, en donnant une raison plausible aux religieuses, vous l'emmènerez à Rome, où se fera la cérémonie, de nuit, et dans une chapelle particulière. Tout est prêt pour cela.

Il passa la main sur son front, puis, redressant la tête, regarda son interlocutrice dont la physionomie continuait d'exprimer l'ahurissement le plus complet.

— Vous n'en revenez pas, ma pauvre Sulzer ? dit-il avec un sourire de douloureuse ironie. Qui pourrait se douter, en effet, que je me trouve acculé à un si terrible sacrifice, à une obligation aussi odieuse ?

Mme Sulzer joignit les mains.

— Est-ce possible ?... Oh ! Altesse ! Il n'y a donc pas moyen ?... Si Myriam refusait ?...

— Elle ne refusera pas. Son père, dans ses dernières volontés, lui fait une obligation formelle de ce mariage.

Mme Sulzer bégaya :

— Alors, Votre Altesse ne peut pas... ne peut pas éviter ?...

— Non, c'est impossible. J'ai donné ma parole... Allons, prenez maintenant un peu de repos. Allez retrouver votre nièce et faites-vous bien soigner par elle. Vous inventerez ce que vous voudrez au sujet de mon appel... Et si vous avez quelques renseignements supplémentaires à me demander, venez me

trouver avant votre départ. Glotz, qui est naturellement dans le secret, vous remettra l'argent nécessaire, et toutes les sommes qui, par la suite, vous
paraîtront utiles.

Il lui tendit la main. Mᵐᵉ Sulzer la prit doucement entre ses larges doigts gantés de fil noir... et
tout à coup, en se courbant, elle l'effleura de ses
lèvres, en laissant échapper une sorte de sanglot.

Une émotion fugitive adoucit pendant un moment la hautaine physionomie. Siegbert se pencha
vers la vieille femme et dit à mi-voix, en revenant
au tutoiement de son enfance :

— Tu me plains, ma pauvre Sulzer ?... Que
veux-tu, c'est inévitable... inévitable...

En se redressant aussitôt, il indiqua du geste que
l'entretien était terminé. Mᵐᵉ Sulzer s'inclina profondément et s'éloigna, l'âme bouleversée, le cerveau tout enfiévré par l'incroyable nouvelle.

Siegbert demeura un long moment immobile, le
front appuyé sur sa main. Toute son âme orgueilleuse frémissait de sourde colère et d'une sorte de
haine pour l'étrangère méprisée qui, devant Dieu,
aurait le droit de se dire sa femme.

Depuis la mort de son père, il se voyait acculé
sans cesse à cette union odieuse — lui, le beau
prince de Hornstedt, si recherché, si adulé, à qui
étaient permises les plus ambitieuses espérances
matrimoniales. Cette pensée avait été, pendant les
cinq années qui venaient de s'écouler, le tourment
secret de son existence très heureuse, très comblée
en apparence.

Et voici que l'échéance était arrivée. Mais en fait,
elle ne changerait rien à la situation. Ce mariage
ne serait qu'une formalité. Siegbert le cacherait
comme une honte et demeurerait aux yeux de tous

un célibataire irréductible, qui laisserait tomber le vieux nom illustre dont il se trouvait le dernier représentant.

A cette pensée, il tressaillit de fureur et se mit debout, en un mouvement plein de violence.

— Ah ! maudit !... maudit Würmstein ! dit-il sourdement.

Il arpenta un instant la pièce, les bras croisés, puis s'arrêta, calmé en apparence, un pli railleur aux lèvres... Jetant un coup d'œil sur l'horloge ancienne placée dans un angle de la pièce, il sonna, endossa la pelisse que lui apporta son valet de chambre et gagna le coupé qui l'attendait pour l'emporter, au trot d'un admirable attelage, vers l'ambassade d'Espagne où il dînait ce soir.

La raillerie s'était accentuée sur ses lèvres, et une lueur de satisfaction moqueuse animait les yeux bleu sombre dont le charme impérieux subjuguait tous ceux qui approchaient le prince de Hornstedt. Quelle que fût l'élévation de son caractère, Siegbert était un trop tiède chrétien pour ne pas triompher au fond de son âme de la revanche prise sur la femme ambitieuse et frivole qui, autrefois, avait par son abandon blessé en lui l'orgueil beaucoup plus que le cœur... Et cette revanche allait être complète aujourd'hui. Restée veuve après trois années de mariage, et sans enfants, la comtesse de Sargen, après la période de grand deuil écoulée, était venue habiter Vienne. Ce soir, pour la première fois, elle allait se rencontrer avec le prince de Hornstedt, à ce dîner où elle avait réussi à se faire inviter.

On disait qu'elle avait été fort peu heureuse près du prince de Storberg, fantasque, violent et jaloux, et qu'elle n'avait même pas eu de compensations pécuniaires, son douaire étant assez modeste. Déjà des âmes complaisantes lui cherchaient un second mari. Mais Carolia ne semblait aucunement pressée. Elle avait même confié à sa marraine qu'elle ne songeait pas du tout à se remarier.

Car la comtesse Sophie avait pardonné, quand la belle veuve, contrite et si touchante dans ses vêtements noirs enjolivés de jais, était venue solliciter l'oubli de ce qu'elle appelait son « irréparable tort ». A dire vrai, Mme de Hornstedt, le premier moment de colère passé, avait assez facilement compris et presque approuvé la conduite de Carolia. A elle aussi, une existence gênée, médiocre, eût semblé le plus grand des malheurs. Elle comprenait donc que Carolia, jeune, belle et brillante, hésitât et finalement renonçât, quel que fût son amour pour Siegbert, à épouser celui-ci après sa ruine.

Naturellement elle s'était bien gardée de faire connaître cette opinion à son neveu. Jamais il ne lui avait reparlé de Carolia, et jamais elle n'avait osé lui en souffler mot, même depuis qu'elle la rencontrait fréquemment dans les salons aristocratiques de Vienne. Le caractère de Siegbert, déjà peu communicatif auparavant, semblait devenir de plus en plus froid et renfermé, et n'incitait guère la comtesse à une évocation du passé. Elle ignorait donc quel souvenir il gardait de celle qui avait été presque sa fiancée... Peut-être même, pensait-elle, la présence à Vienne de la jeune veuve n'était-elle pas connue de lui, car il avait presque constamment été absent d'Autriche cette année.

Pourtant, il l'avait apprise incidemment, depuis plusieurs mois, et ce soir, il savait qu'il allait la trouver à ce dîner semi-officiel.

Voilà pourquoi il avait ce regard, ce sourire,

tandis que sa voiture l'emmenait vers l'ambassade. En apprenant cinq ans auparavant qu'il devenait l'héritier des princes de Hornstedt, sa première pensée avait été : « Me voilà bien vengé ! » Car il s'était figuré sans peine la rage de Carolia, à la nouvelle de l'événement qui faisait de l'homme dédaigné par ambition et cupidité une des plus hautes personnalités de l'Empire, un des hommes les plus opulents d'Europe, à l'instant où elle venait de l'abandonner pour un principicule allemand, mieux pourvu d'aïeux que de larges rentes.

Maintenant, il se doutait bien qu'elle allait chercher à le reconquérir et, avec une ironie méprisante, il songeait : « Allez, allez, je vous réserve plus d'une déception, créature lâche et fausse ! »

Carolia était assise dans le second salon de l'ambassade, près de la comtesse Sophie. Une délicieuse toilette mauve rehaussait l'éclat de sa beauté blonde, et quelques diamants étincelaient dans ses cheveux coiffés de la manière que Siegbert aimait autrefois... Son visage s'empourpra, ses yeux brillèrent d'émotion, quand elle vit le prince de Hornstedt qui s'avançait, en saluant les personnes de sa connaissance, en s'arrêtant plus ou moins longuement pour s'entretenir avec quelques-unes. Il était, visiblement, le point de mire de tous les regards, l'homme dont on recherchait la faveur, les moindres attentions, autant pour son prestige personnel que pour le pouvoir qu'on lui connaissait près du souverain.

Il parut apercevoir Carolia seulement quand il fut à quelques pas d'elle. Alors il s'inclina, en prononçant quelques mots de politesse banale et froide. Personne, en le voyant ainsi, n'aurait imaginé que la comtesse de Sargen pût avoir jamais été

pour lui autre chose que la plus indifférente des
étrangères.

Il s'éloigna presque aussitôt, et de toute la soirée
ne parut plus s'apercevoir de sa présence. Jamais il
ne s'était montré aussi étincelant causeur, et son
rire mordant résonna fréquemment pendant le re-
pas... Carolia, tout en essayant de prêter attention
à la conversation de ses voisins, le regardait, l'écoutait avec une sorte de curiosité passionnée. Tout à
l'heure, quand il l'avait saluée, la jeune femme
avait senti un grand frisson d'inquiétude en rencontrant ce regard où se discernait la plus glaciale
indifférence. Mais elle se reprenait vite, ayant dans
le charme de sa beauté une très grande confiance.
Il était naturel, après tout, que le prince lui gardât
rancune et le lui fît sentir. Cependant un tel sentiment ne prouvait point qu'il n'eût conservé au fond
du cœur un peu du sentiment qui l'avait attiré
autrefois vers Carolia d'Eichten. Une étincelle
pouvait couver sous la cendre... Mme de Sargen se
sentait assez habile, assez bien pourvue d'armes
féminines pour la faire jaillir.

Elle ne se connaissait pas, pour le moment du
moins, de rivales sérieuses. Une enquête discrète
lui avait appris que le prince de Hornstedt ne
semblait pas avoir eu jusqu'ici d'attachement véritable, et qu'il refusait spontanément tous les partis,
fût-ce les plus superbes, qui lui étaient proposés.
Carolia concluait de ces divers renseignements qu'il
avait le cœur entièrement libre — et que, peut-être,
le souvenir de son amie d'enfance n'y était pas
effacé.

Tels étaient les rêves dont se berçait l'imagination de la blonde veuve, ce soir plus que jamais.
Car voici qu'elle se sentait éprise passionnément

de ce Siegbert vraiment différent de celui qu'elle avait aimé autrefois — ce Siegbert à la physionomie plus dure, au sourire d'ironie un peu méprisante, au regard pénétrant où s'affirmait une volonté froide, orgueilleusement dominatrice. Carolia le voyait ici environné de tout son prestige, et le désir de la conquête devenait en elle plus violent, plus résolu.

Mais il fallait, pour atteindre son but, qu'elle se rencontrât fréquemment avec lui. Elle devait donc se faire une alliée inconsciente de sa marraine, afin de connaître par elle les faits et gestes du prince.

En prenant congé de Mme de Hornstedt, ce soir-là, Mme de Sargen lui dit mélancoliquement à l'oreille :

— Hélas ! il n'a pas pardonné !

— Qui sait, ma chère petite ?... Au premier moment, il n'a pas voulu en avoir l'air, par orgueil ; mais tu verras que tout changera et qu'il se laissera fléchir.

— Puissiez-vous dire vrai ! La pensée qu'il me déteste est si affreuse pour moi !... si affreuse, marraine chérie !

— Je comprends, mon enfant... je comprends... Mais c'est un moment à passer. Tu verras qu'il deviendra plus aimable...

Toutefois, dans la voiture qui l'emportait vers le palais de Hornstedt, la comtesse Sophie songea :

« Il lui en veut certainement beaucoup, c'est évident. Avec une nature orgueilleuse comme celle-là, Carolia aura de la peine à se faire pardonner... Cependant, elle y arrivera sans doute, car elle est bien jolie !... Avec cette robe mauve particulièrement... Et il n'a eu pour elle que la plus complète indifférence !... lui qui aimait tant le mauve autrefois ! Elle s'en était bien souvenue, pauvre petite... Mais il ne s'est aperçu — ou plutôt n'a voulu certainement s'apercevoir de rien. »

Puis, en s'enfonçant douillettement dans les coussins de la voiture, Mme de Hornstedt se mit à réfléchir que si le prince persistait dans son ressentiment, il serait peut-être prudent à elle de ne pas s'engager avec Carolia dans une intimité trop grande qui risquerait de le contrarier. Or, par-dessus tout, l'excellente dame redoutait d'exciter le moindre mécontentement chez celui de qui elle tenait le luxueux bien-être de son existence, et qui pouvait tout lui enlever dans un moment de déplaisir. Pour éviter pareil malheur, elle se sentait prête à toutes les concessions, à tous les sacrifices — fût-ce même celui de la jeune femme qu'elle appelait si tendrement « ma petite Carolia chérie ».

III

Un pâle rayon de soleil glissa entre les nuages, traversa les vitraux clairs de la chapelle, parut se complaire un long moment à caresser les ondulations de la merveilleuse chevelure roux doré qui tombait en deux nattes sur les épaules de la jeune fille agenouillée devant l'autel. Puis il s'éclipsa, et le petit sanctuaire parut tout à coup presque sombre.

Myriam ne s'était pas aperçue de cette apparition. Son âme tout entière s'absorbait dans la prière, dans les pensées anxieuses qu'elle venait confier à Dieu.

Elle avait bien souffert au cours de ces cinq années, la petite Myriam. Cependant, les religieuses s'étaient montrées pour elle de vraies mères, et dans la religion catholique, elle trouvait réalisées toutes les aspirations de son âme ardente et pure, terrain idéal où la morale évangélique s'était épanouie rapidement. Dans la vie calme du couvent, avec l'affection de sa sœur et celle de ses maîtresses, Myriam aurait dû se trouver heureuse... Hélas ! il avait suffi de la jalouse méchanceté d'une âme de jeune fille pour ouvrir dans le cœur de l'enfant une blessure qui ne devait pas se refermer.

Une élève de la classe supérieure, s'étant prise d'antipathie pour Myriam, apprit un jour à ses compagnes de qui elle était la petite-fille, en ajoutant que plusieurs membres de sa propre famille avaient été ruinés par Eliezer Onhacz.

On s'écarta aussitôt des deux petites Würmstein. Cédant aux supplications de Myriam, en présence de qui la pénible révélation avait été faite, la Supérieure dut lui en confirmer la vérité. L'enfant supporta cette humiliation avec un héroïque courage. Mais son âme si délicate était pénétrée d'une atroce souffrance. Pendant longtemps sa santé en fut altérée, et il fallut toute sa tendresse à l'égard de Rachel pour lui donner la force de surmonter cette crise terrible.

Sa résignation, sa piété, le charme qui se dégageait d'elle eurent enfin raison de l'hostilité qui l'environnait. Il fallait un cœur vraiment mauvais pour résister à l'attirance de ces magnifiques prunelles veloutées, rayonnantes de lumière et d'ardente douceur. Mais la plaie demeurait inguérissable au cœur de Myriam. Bien souvent, à son esprit, se présentaient la pensée de son aïeul, celle de son père qu'elle avait entendu qualifier de « gendre de voleur », de « misérable vendu », par de jeunes bouches répétant les propos de leur famille, et elle songeait en frissonnant de douleur :

« Oh ! c'est affreux, cela !... c'est affreux ! »

Puis, un jour, elle avait pensé :

« Le comte Chlodwig de Hornstedt est mort ruiné, m'a dit Mme Sulzer. Ne l'aurait-il pas été par mon grand-père, et n'est-ce pas pour cela que son fils m'a chassée avec tant de colère ? »

L'explication était plausible, d'autant plus qu'elle se corroborait par ce fait que le jeune comte n'avait pas pris après son père la tutelle des petites étrangères. Il les méprisait, les détestait trop pour cela, et avait chargé son intendant de remplir sur ce point la tâche acceptée par le comte Chlodwig au lit de mort du comte Würmstein.

La rancune que **Myriam** conservait contre le jeune seigneur de Hoendeck s'était un peu atténuée, à l'idée que celui-ci, dans sa colère assez justifiée, n'avait eu en vue que d'écarter de sa présence la petite-fille d'un homme haïssable. Une autre excuse existait pour lui, dans le fait qu'il venait d'assister aux derniers moments d'un père très aimé. Tout ceci, Myriam se l'était dit et répété, mais elle n'en éprouvait pas moins une crainte mêlée d'une sorte d'amertume à l'égard de ce prince Siegbert de Hornstedt dont Mme Sulzer ne parlait qu'avec une dévotion admirative.

Connaissant la source de la fortune qui lui venait de sa mère, elle avait résolu de n'en plus vivre dès qu'elle aurait le droit d'agir à sa guise. Dans ce but, elle se préparait à une existence de travail, afin de gagner son existence et celle de Rachel. Cette perspective n'effrayait pas son âme courageuse, qui voyait dans la pauvreté comme une réhabilitation des fautes de l'aïeul et du père... Et tout à coup, peu de temps après qu'avaient été révolus ses seize ans, une nouvelle souffrance était venue l'accabler, sous la forme d'un pli scellé aux armoiries des Würmstein, que lui envoyait un homme d'affaires de Vienne.

L'enveloppe portait ces mots : « Pour remettre à ma fille Myriam, quand elle aura seize ans. »

La jeune fille l'avait ouverte non sans un tressaillement de crainte, car elle pressentait qu'il ne pouvait lui venir rien de bon du grand seigneur déchu qui s'était montré un père si indifférent, et dont elle ne se rappelait que quelques terribles colères devant lesquelles pleurait silencieusement sa jeune femme, frêle et jolie créature à qui Rachel ressemblait.

Myriam avait lu ceci :

« Voici que la mort est proche pour moi, et je veux t'instruire de mes dernières volontés, toi qui es ma fille aînée.

« Peut-être m'as-tu jugé comme un père insouciant. Pourtant je préparais magnifiquement ton avenir. De par une convention passée entre le comte de Hornstedt et moi, tu dois devenir à seize ans, la femme de son fils Siegbert. Ainsi tu rentreras dans ce milieu qui fut jadis le mien, et avec lequel j'ai jugé bon de rompre ensuite, pour des raisons qu'il t'importe peu de connaître.

« Tout est réglé, je le répète, entre le comte de Hornstedt et moi. Tu n'auras qu'à mettre ta main dans celle que t'offrira le comte Siegbert, qui aura à cette époque vingt-huit ans. Quant à une opposition de ta part, il ne peut en exister, ma volonté formelle étant que ce mariage s'accomplisse. Ainsi tu trouveras là, pour toi et pour Rachel, la protection dont vous avez besoin. Respecte ce vœu suprême de ton père mourant, qui a su t'aimer à sa manière.

« Comte KARL WURMSTEIN. »

... Il y avait aujourd'hui près de trois mois que Myriam avait pris connaissance de ce message d'outre-tombe, et elle en demeurait aussi profondément stupéfaite, aussi angoissée qu'au premier moment.

Pourquoi son père lui imposait-il ce mariage ?...

Et comment le prince de Hornstedt accepterait-il de s'unir à elle... à elle, la petite-fille d'Eliezer ?

Ceci lui paraissait impossible — surtout quand elle se souvenait de l'accueil fait autrefois à Myriam Würmstein par celui que son père lui destinait comme époux.

Un frisson d'effroi la parcourait à cette pensée. Le jeune comte de Hornstedt s'était révélé à elle sous un aspect de dureté, de violence qui lui faisait envisager en tremblant la perspective d'être unie à lui pour la vie. Car enfin, même en admettant qu'il fût une victime de l'homme dont Myriam avait le malheur d'être la petite-fille, il était injuste d'en faire porter la peine à une enfant innocente... Et peut-être avait-il empêché la guérison de Rachel, Mme Sulzer s'étant refusée à prendre la responsabilité de la cure chez le vieux médecin hongrois, qui était mort quelques années plus tard sans laisser le secret de sa méthode.

Pourtant, s'il lui demandait de devenir sa femme, elle devrait accepter, pour obéir aux dernières volontés de son père.

Non, non, il n'était pas possible qu'un homme comme celui-là, si fier et si puissant, acceptât d'épouser la fille du comte Würmstein et de Salomé Onhacz.

A moins que, lui aussi, dût se conformer à la volonté de son père.

Le comte Würmstein ne disait-il pas : « De par une convention entre le comte de Hornstedt et moi... »

Mais le prince refuserait certainement... oui, cela ne pouvait faire le moindre doute !... Et alors, elle, Myriam resterait libre.

Tel était l'espoir que conservait la jeune fille, et dont, en ce moment même, elle demandait à Dieu de faire une réalité.

Dans le bas de la chapelle, une porte s'ouvrit, un pas glissa sur les dalles... Vers Myriam s'avan-

çait une sœur tourière qui, après une génuflexion,
se pencha vers la jeune fille pour l'informer qu'on
la demandait au parloir.

Surprise et aussitôt inquiète, Myriam s'informa,
quand elle fut hors de la chapelle :

— Savez-vous qui c'est, ma sœur ?

— Je l'ignore. Cette dame — une personne âgée
— a d'abord demandé notre Mère supérieure, qui
vient à son tour de me faire dire de vous prévenir.

Une personne âgée ?... Myriam songea aussitôt :
« Serait-ce Mme Sulzer ? » Et son cœur se serra
d'angoisse, à l'idée que, peut-être, l'ancienne
femme de charge était envoyée par le prince de
Hornstedt. Car, certainement, elle ne se dérangeait
pas ainsi à la fin de l'hiver pour le seul plaisir de
voir les jeunes comtesses Würmstein.

Oui, c'était bien Mme Sulzer qui se leva à l'entrée de Myriam... Mme Sulzer dont l'attitude rigide
et la mine lugubre dénotaient la désolation inté-
rieure. Toutefois, pendant quelques secondes, sa
physionomie se modifia sous l'empire d'une surprise mêlée d'admiration à l'apparition de la jeune
fille qui s'avançait lentement, d'une allure souple,
infiniment gracieuse, avec un sourire un peu forcé
ou coin de ses lèvres charmantes.

— Vous ne me reconnaissez pas, madame
Sulzer ?

— Mais si... mais si... Naturellement, depuis
deux ans, vous avez un peu changé...

— J'ai grandi surtout, je crois, dit Myriam avec
simplicité.

Le regard de la visiteuse enveloppa la taille d'une
rare élégance, bien qu'un peu frêle encore, puis,
devenu hostile, revint à ce délicieux visage aux

traits idéalement purs, dont la **blancheur neigeuse**
et satinée se rosait en ce moment sous l'empire
d'une émotion inquiète.

— Oui... en effet... Vous avez seize ans, maintenant ?

— Depuis un peu plus de trois mois... Mais asseyez-vous donc, madame Sulzer. Vous avez la
mine fatiguée. A votre âge, ce voyage est...

— Le voyage !... Ah ! si ce n'était que cela !
J'en ferais dix, cent, mille, si je pouvais « lui »
épargner ce malheur !... Vous doutez-vous seulement pourquoi je suis ici, pauvre innocente ?

Mme Sulzer laissait enfin éclater son indignation
et, le visage empourpré, elle dardait sur la jeune
fille, devenue tout à coup très pâle, un regard presque haineux.

Myriam dit d'une voix éteinte :

— Peut-être...

— Comment, peut-être ?... Vous savez quelle
convention a été passée entre le comte Chlodwig de
Hornstedt et le comte Würmstein ?... Vous savez
que le prince de Hornstedt a promis à son père
mourant de vous épouser ?

— Il... a promis ?

— Oui, hélas !... oui ! Mais vous ?... comment
avez-vous appris ?...

— J'ai reçu communication des dernières volontés de mon père... et lui aussi m'ordonne d'épouser
le fils du comte Chlodwig.

Mme Sulzer joignit les mains.

— Hélas ! hélas !

La main de la jeune fille s'appuyait au dossier
d'une chaise toute proche d'elle. Myriam, frissonn-
nante, songeait : « Il a promis... Mon seul espoir
s'effondre... »

Mme Sulzer lui jeta un coup d'œil malveillant et, remarquant sans doute sa mine altérée, l'émoi douloureux qui remplissait les yeux si beaux, elle dit, avec un accent quelque peu acerbe :

— Eh bien, qu'avez-vous à faire cette tête-là ? Ce n'est pas une affaire pour vous... tandis que lui... lui !

Un soupir gonfla sa maigre poitrine... Puis, la voix sèche, elle demanda :

— Enfin, vous croyez-vous obligée d'obéir à ce que vous demande votre père ?

— Je le dois, car ce fut son vœu de mourant, et il m'en fait une obligation formelle.

— Soit... Mais alors, écoutez les conditions de mon maître... Car vous pensez bien que pour lui, ce mariage forcé est une mésalliance... pire qu'une mésalliance, et qu'il voit là seulement la nécessité d'accomplir le serment fait à son père...

Alors, avec une colère mal contenue, Mme Sulzer redit à Myriam ce qu'exigeait d'elle le prince de Hornstedt.

La jeune fille eut un frémissement de tout son être en entendant mentionner la décision qui lui interdisait de porter le nom de son mari. Myriam Würmstein serait une tache sur le blason des Hornstedt, et le prince voulait au moins que cette tache demeurât ignorée de tous.

Mais comment le comte Chlodwig s'était-il engagé à ce mariage pour son fils ?... Quel mystère cachait donc cette étrange convention ?

Et quel singulier mariage ce serait ! La séparation absolue, jusqu'à la mort — Mme Sulzer le disait clairement.

Pendant quelques instants, l'esprit en désarroi de Myriam envisagea la possibilité de refuser cette

union, si pénible pour elle et qui devait sembler
fort dure — pour ne pas dire odieuse — au prince
de Hornstedt. Mais le respect de la volonté paternelle avait encore à cette époque de profondes ra-
cines dans les esprits — et particulièrement dans
le milieu où avait été élevée Myriam. Parmi ses
compagnes plus âgées, elle en avait vu accepter au
sortir du couvent un époux qui ne leur convenait
guère, mais qu'avait choisi leur père ou leur mère.
Une autre, tout récemment, venait de prendre le
voile, son aïeul ayant décrété qu'elle demeurerait
au monastère pour que tous les biens de la maison
fussent partagés entre ses frères. Myriam n'eut donc
qu'une courte velléité de révolte contre la dure
obligation que lui imposait son père... Puis elle
sentit comme un allègement, à l'idée qu'elle vivrait
loin du prince de Hornstedt, de cet orgueilleux
grand seigneur qui méprisait tant — il le montrait
assez — la petite-fille d'Eliezer. Ainsi, elle resterait
libre, sous l'égide de Mme Sulzer, comme celle-ci le
lui expliquait d'un air quelque peu rogue.

— Naturellement, Rachel vivra avec nous ? s'informa la jeune fille.

— Bien sûr, il n'y a pas d'inconvénient à cela,
je pense. Son Altesse ne m'a pas parlé d'elle... Il
avait bien autre chose en tête ! Mais tout cela lui
est fort égal... Toutefois, il faudra qu'elle demeure
ici, pendant que nous voyagerons, comme je vous
l'ai expliqué.

— Ce n'est pas possible ! Jamais je ne laisserai
ma chère petite sœur pendant si longtemps !

— Pourtant, nous ne pouvons l'emmener... Car
alors, elle connaîtrait ce mariage...

— Je n'ai pas l'intention de le lui cacher. Elle

est très sérieuse, et sera toujours la discrétion même.

— Hum !... Je ne sais trop comment faire... Son Altesse m'a tellement recommandé... Enfin, comme je dois lui écrire ce soir, je lui demanderai l'autorisation, pour Rachel seulement.

— Je ne puis rien dire à mes chères Mères ?

— Non, non, à personne d'autre !... Dites-leur que je vous emmène toutes deux faire un pèlerinage à Rome. De là vous leur écrirez dans quelque temps que vous épousez un M. de Hakenau, d'après les instructions de votre père qui vous auront été communiquées par votre tuteur...

Myriam dit en un élan de révolte :

— Il faudra donc que je vive toujours ainsi dans le mensonge ?

— Eh ! que voulez-vous que j'y fasse ! Prenez-vous-en au comte Würmstein qui a manigancé tout cela pour le plus grand malheur de mon cher jeune seigneur... et pas pour votre bonheur, bien sûr !

Le ton acerbe de la vieille femme fit tressaillir douloureusement Myriam.

— Vous avez tort de parler ainsi, madame Sulzer ! dit-elle avec une dignité mêlée de reproche. J'ignore quelles furent les raisons de mon père, mais je crois au contraire qu'il a cru me préparer un heureux avenir. Il s'est trompé, voilà tout... et le comte de Hornstedt avec lui.

Mme Sulzer hocha la tête. Mais l'attitude à la fois digne et douloureuse de Myriam arrêta les paroles mauvaises qui étaient sur ses lèvres. Elle grommela :

— Enfin, puisqu'il faut en passer par là !... Puis-je dire à Son Altesse que vous promettez de garder le secret, comme il vous le demande ?

— Oui, je le promets... Oh ! il n'a rien à craindre ! Je n'ai aucun désir de porter son nom, ni de vivre autrement que dans l'obscurité.

— Allons, si vous êtes raisonnable, cela lui épargnera au moins bien des ennuis. Hélas ! il aura encore assez à souffrir comme cela, mon pauvre prince !

Et, avec un regard de rancune vers la jeune fille, Mme Sulzer ajouta :

— Je ne sais pas pourquoi vous faites cette mine-là, car enfin, dans votre situation, c'est ce que vous pouviez espérer de mieux. Il vous aurait été difficile de trouver un parti honorable... Tandis que vous resterez libre de vous installer comme il vous plaira, dans quelques années, et de vivre largement grâce aux revenus qui vous seront servis... Car j'oubliais de vous dire ceci : le prince exige absolument que vous ne touchiez plus à la fortune qui vient de votre mère.

Les lèvres de Myriam tremblèrent, sa main se crispa au dossier de la chaise... Et il y avait une telle souffrance dans son regard que Mme Sulzer, saisie de repentir, se traita aussitôt de « mauvaise créature ».

— La volonté de Son Altesse est conforme à mon désir, dit la jeune fille d'une voix frémissante. Mon intention était en effet de renoncer à cette fortune, de la distribuer aux pauvres, aussitôt que j'en aurais le droit... Mais je n'accepterai rien du prince de Hornstedt, je travaillerai...

— Vous travaillerez ?... Et vous croyez qu'il permettrait cela ? Non, certainement. Au reste, il est juste qu'il vous donne de quoi vivre... Allons, je retourne maintenant à l'hôtel où je suis descendue. Demain, je verrai Rachel. Aujourd'hui,

voyez-vous, j'en ai assez : toute cette affaire me
met la tête à l'envers... Et ce n'est pas fini ! Après-
demain peut-être il nous faudra partir...

Myriam s'exclama avec effroi :

— Après-demain ?... Déjà ?

— Eh ! oui, probablement ! Son Altesse est
pressée de se débar.. d'en finir. Aussitôt ses instructions reçues, nous prendrons le train pour
Rome... Et comme, à la réflexion, je n'aurai pas
le temps d'avoir sa réponse au sujet de Rachel,
dites la vérité à la petite, en lui faisant promettre
le secret. Je crois comme vous qu'elle saura bien le
garder... Quant à une toilette, inutile de vous en
occuper. La cérémonie se faisant de nuit, votre
robe de voyage sera suffisante.

Myriam reconduisit Mme Sulzer jusqu'à la por-
terie ; puis, sans trop savoir ce qu'elle faisait, elle
rentra dans le parloir. S'approchant d'une fenêtre,
elle appuya le front contre la vitre. Sur ses joues
pâles, des larmes se mirent à couler.

— Oh ! Myriam, Mme Sulzer est-elle déjà
partie ?

La jeune fille se détourna au son de la voix
douce, un peu voilée, qui interrogeait ainsi.

Au seuil du parloir se tenait une fillette d'une
dizaine d'années, frêle et contrefaite. Son visage
menu aux grands yeux bleus mélancoliques s'encadrait dans les flots soyeux d'une chevelure blond
argenté.

Myriam répondit, en essayant de raffermir son
accent :

— Oui, elle est partie... mais elle reviendra
demain.

— Comment ne m'as-tu pas fait appeler ? C'est

Mère Supérieure qui, voyant que je te cherchais,
m'a dit que tu étais avec une dame Sulzer...

— Aujourd'hui, elle venait pour me faire une
communication importante, ma chérie...

— Quelque chose qui te fait pleurer ?... Qu'est-
ce donc, ma Myriam ?

L'enfant s'avançait vers sa sœur, lui jetait autour
du cou ses bras maigres, en couvrant d'un regard
inquiet le beau visage altéré.

Myriam posa longuement ses lèvres sur le front
de Rachel.

— Elle est venue me préparer à un événement
qui va changer notre vie et qui me bouleverse profondément. Je vais te dire de quoi il s'agit, Rachel,
mais il faut auparavant que tu me promettes de
garder le secret le plus complet.

— Oui, je te le promets, chère sœur.

Alors Myriam, la faisant asseoir près d'elle,
lui apprit ce qui venait de se passer. Rachel l'écoutait sans prononcer un mot, ses yeux seuls décelant
sa stupéfaction. Quand l'aînée se tut, la petite fille
se pencha et appuya sa joue contre celle de sa sœur.

— Ainsi, il n'y aurait pas moyen de refuser,
Myriam ?

— Non, puisque c'était la volonté expresse de
notre père.

— Et il ne veut pas qu'on sache, parce que tu
es la petite-fille de...

Les lèvres pâles frémissaient, en se refusant à
prononcer le nom de l'aïeul... Depuis longtemps,
l'enfant trop perspicace avait compris quelle tache
existait sur l'origine maternelle.

Relevant tout à coup la tête, elle enveloppa d'un
regard d'ardente admiration le ravissant visage de
sa sœur.

— Mais quand il te verra, chérie !... ma chérie !... Oh ! comment ne pourrait-il pas t'aimer, ma Myriam si belle et si bonne ! Non, il n'aura pas le courage de te renvoyer loin de lui !

Myriam dit, avec une vivacité mêlée d'effroi :

— Je ne demande pas cela !... Oh ! certes, non, non ! D'ailleurs cet homme, obligé à un mariage qui révolte son orgueil, ne peut que me détester. Moi, je ne désire que de vivre dans la solitude... Et vois-tu, Rachel, lui... eh bien, il ne m'inspire que de la crainte.

— De la crainte ?... Pourquoi ? Je me souviens bien de lui ; il avait une figure très agréable, et il s'est montré bon pour nous.

Bon !... Pauvre innocente Rachel, elle ignorait la courte scène qui s'était passée autrefois entre le jeune comte et la petite Myriam !

... Ce soir-là, quand la jeune fille fut couchée, elle songea longuement et, au cours d'une pénible insomnie, elle ne cessa de se demander avec angoisse :

— Qu'y a-t-il donc eu entre mon père et le comte de Hornstedt, pour que celui-ci ait fait au nom de son fils une pareille promesse ?

IV

Quelques jours plus tard, Myriam, Rachel et Mme Sulzer arrivèrent à Rome, par un soir pluvieux et froid.

Elles s'installèrent dans une paisible maison de famille. Le lendemain, de bonne heure, Myriam se rendit à l'église la plus voisine pour se fortifier par la réception des sacrements, en vue du sacrifice que lui imposait la volonté paternelle.

La cérémonie devait avoir lieu le soir de ce jour... A la nuit tombante, Mme Sulzer entra dans la chambre que se partageaient les deux sœurs. Rachel était déjà couchée. Sa tête s'appuyait sur l'épaule de Myriam qui semblait ce soir plus pâle encore que sa jeune sœur.

— Vous êtes prête, Myriam ? Il est l'heure, la voiture est arrivée...

La jeune fille se leva. Mme Sulzer jeta un long regard sur ce visage altéré par l'angoisse, sur cette taille délicate dont la robe noire de pensionnaire, mal coupée, ne parvenait pas à dissimuler l'élégance, sur tout cet ensemble de grâce patricienne et de charme idéal... Les sourcils grisonnants de l'ancienne femme de charge se rapprochèrent, tandis que passait dans ses yeux clairs une lueur d'inquiétude.

— Si vous mettiez un voile, Myriam ? Vous avez une figure tout de travers, les témoins vont penser qu'on vous mène au supplice.

— Je n'ai pas de voile, madame Sulzer.

— Eh bien, je vais vous prêter un des miens...
Enveloppez-vous aussi dans votre grand manteau,
surtout dans cette chapelle où il fera certainement
froid.

Passivement, Myriam laissa entourer son visage
par un épais voile gris, que Mme Sulzer arrangea
de façon experte pour qu'il cachât complètement
l'admirable chevelure, ce soir relevée pour la première fois. Puis la jeune fille jeta sur ses épaules
une lourde mante... Après quoi, ayant embrassé
Rachel qui pleurait, elle descendit comme une
automate, derrière Mme Sulzer.

Une voiture les attendait. En dix minutes, elles
étaient devant un vieux palais à peine éclairé par
un réverbère placé à quelques pas de là.

Un homme s'approcha, ouvrit la portière. Mme
Sulzer dit à mi-voix :

— C'est Glotz, votre tuteur.

L'intendant aida la jeune fille à descendre et la
précéda, ainsi que Mme Sulzer, vers la porte du
palais, qui se trouvait entr'ouverte. Ils entrèrent
dans un vestibule délabré, qu'ils ne firent que tra-
verser après que Glotz eut pris une lampe allumée,
posée sur une crédence. Longeant un corridor dallé
de marbre, l'intendant et ses compagnes atteignirent une petite salle en rotonde où, mal éclairés
par une lampe fumeuse, se tenaient deux hommes,
l'un de haute taille, l'autre plus petit. Tous deux
firent quelques pas au-devant de Myriam, et le premier, en s'inclinant, dit d'une voix brève :

— Permettez-moi de vous présenter nos témoins... Le comte Mathias Athory, mon cousin...
Friedrich Glotz, mon intendant et votre tuteur.

Myriam distingua vaguement un jeune visage

sérieux aux traits accentués, puis la large face rouge
du vieux Glotz. Sans mot dire, elle répondit par
une faible inclination de tête au salut des deux
hommes. Il lui semblait que ses jambes allaient
fléchir sous elle... Et elle n'osait jeter un regard
sur celui qui allait devenir son époux.

— Voulez-vous venir ? Tout est prêt, dit le
prince.

Elle s'avança machinalement près de Mme Sulzer,
vers une porte dont les battants ouverts laissaient
voir l'intérieur d'une petite chapelle. Deux cierges
étaient allumés sur l'autel, jetant une lueur jaune
et lugubre sous la voûte basse de ce vieux sanctuaire.

Myriam s'agenouilla sur un des prie-Dieu anciens
disposés pour les fiancés. Un prêtre s'avança alors,
vieillard à l'air doux et pieux, qui prononça quelques mots pleins d'onction pour rappeler aux nouveaux époux leurs devoirs réciproques, et les béné-
dictions dont Dieu comble un ménage uni dans la
foi et dans la vertu.

Myriam n'avait pas même songé à relever son
voile. Courbée sur son prie-Dieu, elle pleurait...

— Siegbert-Maximilien, prince de Hornstedt,
consentez-vous à prendre pour épouse Myriam-
Elfride, comtesse Würmstein ?

— Oui ! répondit une voix dure.

A son tour, Myriam, que secouait un long frisson,
laissa tomber de ses lèvres tremblantes la réponse
affirmative. Mais au moment où Siegbert allait
prendre sa main pour y passer l'anneau de mariage,
elle eut un mouvement instinctif pour la retirer.

Il la saisit avec une sorte de violence, fit glisser
l'alliance autour du doigt délicat... Puis, s'apercevant sans doute que cette charmante petite main

tremblait dans la sienne, il la laissa retomber doucement, en jetant un coup d'œil involontaire sur
le visage voilé.

Au bas de la chapelle, les nouveaux époux et
leurs témoins apposèrent les signatures d'usage sur
le registre que leur présentait le prêtre. Myriam,
une fois la formalité accomplie, ramena vivement
le voile sur ses yeux pleins de larmes, et aucun des
trois hommes debout derrière elle ne put apperce-
voir ce ravissant visage, que bouleversait en ce moment l'émotion.

Sur un signe de son maître, Mme Sulzer, dont la
mine était presque aussi défaite que celle de la
jeune femme, s'engagea côte à côte avec Myriam
dans le corridor. Derrière venaient le prince et son
cousin, Glotz fermant la marche.

Comme Myriam allait franchir le seuil du palais,
Siegbert s'avança et s'informa, d'un ton de froide
courtoisie :

— Tout est bien convenu avec Mme Sulzer, n'est-
ce pas ? Vous ne voyez rien à me demander ?

— Rien, Altesse, répondit un voix un peu brisée.

Puis Myriam s'avança vivement vers la voiture.
Elle avait hâte de s'éloigner de cet homme pour
qui elle n'était qu'un objet de mépris.

Il eut un instant d'hésitation... et ses habitudes
d'homme du monde l'emportant, il la suivit pour
l'aider à monter en voiture. Après quoi, se reculant, il dit brièvement à Mme Sulzer :

— Si vous avez besoin de m'écrire, adressez-moi
vos lettres à Vienne, on me les fera parvenir.

Et, s'inclinant dans la direction de la voiture, il
rejoignit ses compagnons.

Le trajet du vieux palais à la pension de famille

se fit d'abord dans le silence. Mme Sulzer semblait en proie à une sorte de rage concentrée et tordait nerveusement ses gants de filoselle noire. Myriam demeurait immobile, les mains croisées sur sa jupe, les joues brûlant d'une sorte de fièvre... Elle pensa, tout à coup, à soulever ce voile qui l'étouffait et Mme Sulzer, en la regardant, vit les larmes qui demeuraient encore sous les longs cils baissés.

— Allons donc, vous n'êtes pas si malheureuse ! dit brusquement l'ancienne femme de charge. Avec Rachel, vous mènerez une bonne petite existence tranquille... Tandis que lui, mon beau prince, qui aura ce boulet rivé après lui, toujours !

Elle soupira profondément et parut s'absorber dans de sombres réflexions, jusqu'au moment où la voiture atteignit le but.

Rachel attendait avec une fiévreuse impatience. Elle tendit les bras vers sa sœur...

— C'est fait, chérie ?

— C'est fait, répondit la voix lasse de Myriam.

Elles demeurèrent un long moment embrassées. Mme Sulzer, qui allait et venait à travers la chambre, s'approcha tout à coup.

— Il est tard, et vous êtes fatiguée. Il faudrait songer à vous coucher, madame, dit-elle d'un ton de sèche déférence.

Myriam tressaillit, à cette appellation qui lui semblait une ironie douloureuse.

— Pourquoi ne m'appelez-vous plus Myriam ? demanda-t-elle en regardant avec surprise le visage crispé de la vieille femme.

— Non, cela ne se peut maintenant... Vous êtes un peu, tout de même, la femme de Son Altesse...

Mme Sulzer, à ces mots, eut la physionomie d'une

personne qui avale quelque médecine amère... Puis
elle conclut avec une glaciale solennité :

— Je connais les usages, madame, ne craignez
rien !

TROISIEME PARTIE

I

Dans la salle bien chauffée où Adelina et Valérie
Oldrecht travaillaient en causant, une fillette d'une
dizaine d'années entra tout à coup, ses cheveux
noirs flottant autour d'un minois chiffonné où bril-
laient des yeux vifs et rieurs.

— Voilà maman qui arrive avec Mme de Hakenau ! annonça-t-elle.

— Elles se seront rencontrées à l'église, dit Valérie. Mais ne peux-tu entrer plus doucement Aennchen ? On croirait toujours un tourbillon ! Pour
te corriger de ces manières brusques, prends donc
modèle sur Mme de Hakenau, si gracieuse dans le
moindre de ses mouvements.

Aennchen secoua la tête.

— Oh ! elle, c'est une perfection ! Oui, je me
demande si elle a un seul défaut... Ah ! les voilà !

Elle s'élança dans le vestibule et se jeta au cou
de la jeune femme enveloppée dans un long manteau, qui apparaissait à la suite de Mme Oldrecht.

— Bonjour, madame ! Comment va Rachel ?

— Pas trop mal, aujourd'hui, ma mignonne,
répondit une voix au timbre pur et velouté. Bonjour, Adelina, Valérie...

Tout en parlant, Myriam rejetait en arrière la capeline qui couvrait sa tête et tendait la main à ses amies, accourues derrière Aennchen.

— ... Mme Oldrecht a voulu absolument m'emmener. Je résistais, parce que je suis très, très pressée...

— Oui, mais j'ai insisté, car elle était toute gelée, après une longue station à l'église, dit Mme Oldrecht, qui frappait ses pieds sur le paillasson pour en faire tomber la neige. Entrez au parloir, mon enfant, et chauffez-vous bien, tandis qu'Adelina va nous préparer du thé.

Mais Myriam arrêta du geste la jeune fille qui s'en allait déjà vers la cuisine.

— Non, je vous en prie, mon amie ! Je vais me chauffer cinq minutes et je repartirai aussitôt. Il faut que j'aille porter un remède à Emma Gloster.

— En ce cas, je n'insiste pas, car vous avez en effet tout juste le temps, si vous voulez être revenue à la Maison des Abeilles avant la nuit. Mais par ce temps, il serait plus raisonnable de vous abstenir. Le vieux Klaus nous a prédit une tourmente pour ce soir.

— Oh ! je ne crois pas !... Et d'ailleurs, Emma compte sur moi.

Elles entrèrent dans le parloir, et Myriam s'approcha du poêle pour y réchauffer ses mains glacées.

Elle avait grandi pendant ces deux années ; elle était vraiment devenue femme, et d'une beauté réellement saisissante. Dans son regard demeuraient toujours la rayonnante candeur, la douce et pure lumière de son enfance ; mais ces yeux admirables se voilaient souvent de pensées graves, et les lèvres roses qui avaient le plus délicieux sourire du

monde prenaient parfois un pli de tristesse qui
faisait dire entre elles aux dames Oldrecht :

— Myriam pense à son malheur.

Car on la croyait veuve. Mme Sulzer avait arrangé
une histoire vague, dont il avait bien fallu que se
contentassent les curiosités de Gleitz, excitées par
la mystérieuse absence de six mois qu'avait faite
Mme Sulzer et par son retour avec les jeunes comtesses Würmstein, dont une était devenue Mme de
Hakenau. Qu'était le mari ? Un gentilhomme bava-
rois que Myriam avait épousé pour obéir aux volontés posthumes de son père... Quant à d'autres
détails, on n'avait pu en avoir, Mme Sulzer conser-
vant une réserve inviolable et Myriam, qui gardait
d'ailleurs une retraite presque complète dans la
Maison des Abeilles, n'ouvrant jamais la bouche
à ce sujet.

On en avait conclu que c'était un malheureux
mariage, et que la jeune femme avait souffert pendant cette courte union, vite rompue par la mort.

Cette supposition semblait d'autant plus plausible que Myriam, dont l'âme si droite se prêtait
difficilement à la feinte, n'avait jamais pris l'air
abattu d'une veuve inconsolable et s'était refusée
à se couvrir de crêpes, se contentant de porter
invariablement une très simple toilette noire.

Elle n'avait de relations qu'avec les dames
Oldrecht, qui étaient la discrétion même. Adelina
et Valérie, autrefois retrouvées à ce couvent dont
l'amie de leur mère était supérieure, demeuraient
ses amies. Elles se voyaient fréquemment, soit chez
le docteur Blück, soit à la Maison des Abeilles et,
pour Rachel, la joyeuse Aennchen était une compagne très chère.

Myriam aimait se trouver au milieu de cette

famille si unie, dans l'hospitalière demeure du bon
docteur. Elle avait ainsi, pendant un moment,
l'illusion d'un foyer.

— Tante Anna va bien, maman ? demanda Valérie en prenant des mains de sa mère la mante que
celle-ci venait d'enlever.

— Très bien. Quelle étonnante petite vieille !
Elle me fait honte par son activité... Il y avait
chez elle Alice Goltz, qui nous a appris que le
prince de Hornstedt était arrivé hier, impromptu,
à Hoendeck. Cela a fait un joli remue-ménage au
château, paraît-il !

Les mains de Myriam, étendues au-dessus du
poêle, frémirent un peu. Ce nom seul, quand elle
l'entendait prononcer, donnait à la jeune femme
une impression pénible.

Adelina dit avec surprise :

— A cette époque de l'année, alors qu'il ne vient
même plus maintenant pendant la belle saison !

— Il s'agit, m'a dit Alice, de la restauration
d'une partie du château menaçant ruine imminente.
Le prince, se trouvant de passage non loin d'ici, a
poussé jusqu'à Hoendeck pour voir par lui-même
ce qu'il en était... Vous partez, mon enfant ?

Ces mots s'adressaient à Myriam qui étendait la
main pour reprendre son manteau.

— Oui, chère madame, je ne puis vraiment me
retarder. Demain, je tâcherai de venir travailler
un peu avec vous, et j'emmènerai Rachel, si le
temps le permet ! Voyez, je vous ai dérangées, mes
chères amies ! Adelina délaisse sa peinture, et
j'aperçois un charmant chapeau que cette petite
fée de Valérie a planté là pour venir au-devant de
moi.

Adelina prit l'œuvre de sa sœur et la plaça sur son poing.

— Il n'est pas mal, c'est vrai. Valérie ferait une parfaite modiste. Mais vous réussissez très bien aussi, Myriam ; nous sommes fières de notre élève... Et vous avez tant de goût !

Myriam se mit à rire, tout en jetant la capeline sur sa tête. Elle prit congé de ses amies et s'en alla d'un pas alerte vers la forêt. Le froid était pénétrant, le vent s'élevait, une neige menue tombait, augmentant la couche déjà existante. Mais Myriam, souple et légère, marchait sans peine sur ce blanc tapis.

La maison où elle se rendait était celle d'un garde forestier de Hoendeck, Leopold Gloster, dont la femme se trouvait depuis longtemps malade. Il avait quatre enfants à nourrir et de plus devait soutenir ses parents infirmes. Myriam, qui donnait une partie de son temps à la charité, s'intéressait vivement à ces honnêtes gens fort méritants. Elle les visitait, soignait la mère et les enfants, leur distribuait des secours pris sur les très larges revenus versés chaque trimestre par l'intendant du prince de Hornstedt — revenus dont elle ne se réservait personnellement que la part strictement nécessaire, le reste étant distribué en aumônes et bonnes œuvres discrètement accomplies.

Dans toutes les pauvres demeures où elle paraissait, Myriam, très délicatement bonne et dévouée, si belle aussi, était d'objet d'une affection admirative. Mais nulle part on ne l'aimait davantage que chez les Gloster... Aussi les enfants, à son entrée, s'élancèrent-ils avec des cris de joie, tandis que la mère, tremblante de fièvre près du poêle, tendait les mains vers elle et appelait :

— Leopold, viens vite. Voilà Mme de Hakenau !

De la pièce voisine sortit un homme vigoureux, à la mine honnête et franche, qui salua Myriam avec un respectueux empressement.

— Ah ! vous arrivez bien, madame ! La pauvre Emma ne va pas du tout ce soir... Et le petit qui crie, par là !

On entendait en effet, dans la chambre voisine, les cris de colère d'un petit enfant.

— Apportez-le-moi, Gloster, je vais essayer de le calmer, dit Myriam, tout en s'avançant vers la malade.

Elle lui parla doucement, l'encouragea, l'obligea à prendre un peu de quinine. Puis, ayant enlevé son manteau et sa capeline, elle prit le bébé entre ses bras et se mit à le bercer doucement, en chantant à mi-voix.

— Tenez, entendez-vous cela, madame ? dit tout à coup Gloster.

Portes et fenêtres venaient de gémir sous un subit et furieux coup de vent.

— ... Nous allons avoir une tourmente, et une forte, je le crains. Cela m'ennuie bien pour vous, madame.

— Oh ! elle ne durera peut-être pas très long-temps ! Ne vous inquiétez pas d'avance, mon brave Gloster, dit la jeune femme en souriant.

Soudainement, une effrayante tempête s'élevait. La petite maison forestière semblait prise d'assaut par les rafales... Emma Gloster, affaissée dans son vieux fauteuil, appuyait ses mains sur son front fatigué. Le petit enfant, effrayé sans doute par la tempête, pleurait toujours.

Un coup bref — un coup de maître — fut tout à coup frappé à la porte.

— Sans doute un garde en tournée, qui vient nous demander refuge, dit Gloster en se dirigeant vers le seuil.

Il ouvrit, et se recula vivement, avec une exclamation étouffée, en se courbant profondément.

— Je viens chercher un abri sous votre toit, Gloster .La rafale est effrayante en ce moment ! dit une voix masculine à l'intonation impérieuse.

— Tout ici est à la disposition de Votre Altesse, balbutia Gloster.

Myriam crut que la salle se mettait à tourner autour d'elle... Et elle serra l'enfant contre sa poitrine, pour être sûre que ses mains tout à coup tremblantes ne le laisseraient pas échapper.

C'était bien le prince de Hornstedt qui apparaissait, poudré de neige, au seuil de la maison forestière.

Il fit quelques pas, et s'arrêta en apercevant la jeune femme. Sa physionomie laissa voir une vive surprise, mais surtout une admiration dont il ne fut pas maître tout d'abord, à la vue de cette délicieuse apparition dont le charme semblait plus saisissant encore, dans cet humble milieu et avec ce sévère costume noir qui semblait étrange près de tant de jeunesse et de beauté.

Siegbert se découvrit pour la saluer. Elle inclina un peu la tête et détourna aussitôt son visage, qu'elle sentait envahi par une rougeur de pénible émotion.

Puis elle songea subitement que le prince ne la connaissait pas. Il l'avait vue seulement deux fois, alors qu'elle était une enfant, et elle avait beaucoup changé depuis lors, on le lui avait dit plus d'une fois. Le jour de son mariage, elle était si bien enveloppée, si bien voilée, qu'il n'avait pu rien

distinguer d'elle... Ainsi, il ne se douterait pas aujourd'hui qu'il se trouvait en présence de l'épouse
méprisée et abandonnée.

Cette idée lui causa un soulagement infini, et elle
osa alors relever les yeux.

Le prince se rapprochait du poêle, vers lequel
Gloster se précipitait pour mettre du bois. Il
entr'ouvrit sa pelisse, jeta sur une chaise près de
lui ses gants et sa toque de fourrure et appuya ses
mains au dossier d'un fauteuil de paille qui se
trouvait là.

Myriam rencontra tout à coup son regard. Il eut
un léger tressaillement et détourna un peu les yeux.

Emma Gloster s'était péniblement levée à son
entrée, et maintenant elle n'osait se rasseoir en
voyant l'hôte princier debout. Mais ses pauvres
jambres affaiblies flageolaient, et elle se retenait
d'une main à la table placée près d'elle.

Devinant la gêne qui la paralysait, Myriam, dominant son propre trouble, se pencha vers sa pro-
tégée.

— Asseyez-vous, ma bonne Emma. Son Altesse
voudra bien vous excuser, en raison de votre
maladie.

— Mais oui, asseyez-vous, madame Gloster, dit
Siegbert d'un ton de bienveillance un peu hautaine.
Je ne veux déranger personne, ici.

Le bébé, que l'entrée de l'étranger avait paru
apaiser, se remit tout à coup à pleurer. Myriam se
dirigea vers la pièce voisine en disant à Gloster :

— Je vais essayer de le calmer par là.

Siegbert se tourna vivement vers elle.

— Serait-ce à cause de moi que vous ne demeu-
rez pas ici, madame ? Cependant, je vous assure

que les pleurs de cet enfant ne n'importunent aucunement.

— Mais je crains pourtant..., murmura Myriam.

Elle se sentait devenir pourpre sous ce regard pénétrant, comme s'il avait pu lire sur son front le nom abhorré.

— Non, non, madame, je ne m'en trouverai pas gêné... et je serais vraiment désolé si ma présence dans cette maison apportait quelque dérangement ! ajouta-t-il avec courtoisie.

Elle revint sur ses pas et, s'asseyant près du poêle, se mit à bercer l'enfant avec des mouvements très doux. Elle semblait ainsi une idéale jeune mère et il n'était pas étonnant que le prince de Hornstedt, très amateur d'impressions artistiques, eût peine à détacher son regard de ce ravissant tableau.

L'enfant se calmait enfin, et il s'endormit dans les bras de Myriam. Gloster s'approcha en disant :

— Donnez-le-moi, madame, je vais le porter de l'autre côté.

— Non, j'irai moi-même, pour ne pas risquer de l'éveiller.

Elle se leva et passa dans la pièce voisine, où se trouvait le berceau de l'enfant. Quand elle l'eut couché et soigneusement couvert, la jeune femme demeura là un moment, luttant contre un désir fou de ne plus paraître dans l'autre pièce, de demeurer ici jusqu'au départ du prince.

Mais quelle raison pourrait-elle donner ?... Non, il fallait rentrer dans la salle, revoir ce haut et puissant seigneur dont les manières courtoises auraient changé, sans doute, s'il avait connu la personnalité de la jeune femme rencontrée sous le toit de son garde... de même que ses yeux si beaux — oui, vraiment, ils étaient magnifiques, ces yeux

étincelants de la plus fière intelligence — auraient
pris aussitôt leur expression la plus dure, la plus
dédaigneuse...

Lentement, Myriam rentra dans la salle. Prêtant
l'oreille, elle fit observer :

— La tempête a bien diminué. Je vais pouvoir
partir.

— Oh ! madame, attendez encore ! s'écria Emma. Ces maudits coups de vent reviennent subitement, voyez-vous.

— Je ne peux cependant pas me retarder davantage. Déjà on doit s'inquiéter pour moi.

— Oui, c'est sûr que Mme Sulzer et Mlle Rachel
vont commencer à se faire du mauvais sang, dit le
garde.

Myriam frémit d'effroi. Ces noms allaient certainement amener un soupçon dans l'esprit du prince.

Mais il n'avait point paru entendre. Assis dans
le fauteuil de paille, son menton appuyé sur sa
main, il semblait plongé dans une songerie et ne
leva pas même les yeux.

— En tout cas, si vous voulez absolument partir,
madame, je vais vous accompagner, déclara Gloster.

— Cela, non ! Vous avez encore un gros reste de
bronchite ; il serait imprudent de sortir par ce
temps... Non, Gloster, n'insistez pas, je ne veux
pas de vous ! Soyez sans crainte, je saurai très bien
revenir seule.

Le garde hocha la tête.

— Ce n'est pas prudent !... ce n'est pas prudent
du tout !... Et je me reprocherais trop s'il vous
arrivait quelque accident, parce que ce serait à
cause de votre bonté pour nous.

— Il ne m'arrivera rien ; Dieu veille sur moi...

N'avez-vous besoin de rien avant que je m'en aille,
ma bonne Emma ?

— Non, merci, madame... merci, merci ! dit
Emma d'un ton d'ardente reconnaissance.

L'aîné des enfants, qui s'était réfugié avec ses
petites sœurs dans un coin de la salle à l'entrée du
prince, vint apporter à la jeune femme son manteau et sa capeline, dont Gloster l'aida à se revêtir.

Elle embrassa les trois petits en leur glissant des
recommandations de sagesse, serra la main brûlante
de la malade et, s'inclinant pour répondre au salut
du prince qui s'était levé en la voyant prête au
départ, elle sortit de la maison en recommandant à
Gloster de fermer bien vite la porte.

La nuit arrivait. Le vent était encore très fort,
mais les rafales avaient cessé. Myriam se mit
d'abord à marcher vite... Bientôt, pourtant, il lui
fallut ralentir à cause du sol devenu très glissant.

Depuis quelques instants, un pas ferme se faisait
entendre derrière elle, en se rapprochant de plus
en plus... Quelqu'un se trouva tout à coup près
d'elle, et une voix masculine prononça :

— Pardonnez-moi de ne pas avoir offert de vous
accompagner. Je ne le pouvais devant les Gloster,
car ils ignorent que j'en ai le droit... Mais il est
vraiment trop imprudent pour vous d'être seule à
cette heure.

Myriam eut un instant la sensation que le sol
manquait sous ses pas. Elle se raidit pour répondre,
d'une voix qui tremblait :

— J'ai l'habitude de circuler toujours seule, le
pays étant très sûr.

— Il ne faut jamais trop s'y fier... En tout cas,
puisque je suis là, je vous accompagnerai jusqu'à
la Maison des Abeilles.

Elle ne répliqua rien et continua d'avancer en
silence. Mais son cœur battait avec violence.

— La neige est horriblement glissante, ce soir !
Voulez-vous me permettre de vous offrir mon
bras ? demanda Siegbert.

— Oh ! non, c'est inutile ! J'ai coutume d'aller
et venir par tous les temps, répondit-elle avec un
instinctif mouvement pour s'éloigner de lui.

Il n'insista pas et continua de marcher à son côté,
le pas ferme et sûr, en homme habitué à tous les
sports.

Tout à coup, sans que rien l'annonçât, une
furieuse rafale s'éleva. Myriam crut qu'elle était
soulevée de terre. Sa main s'étendit pour trouver
un appui... Elle rencontra le bras de Siegbert qui
s'offrait à elle. Mais elle recula, cherchant, dans
la demi-obscurité, un arbre auquel elle pût se retenir pour résister à la tempête.

Une nouvelle rafale arrivait, plus effrayante que
la première... Myriam se sentit saisie par un bras
ferme, attirée sur une poitrine qui lui servait de
rempart contre la violence du vent. Son visage se
trouva presque enfoui dans la fourrure de zibeline
qui garnissait la pelisse de Siegbert, une douce et
tiède senteur de violette lui monta aux narines. Et
pendant ces quelques secondes, elle ressentit une
singulière impression de confiance, de sécurité
absolue, tandis que l'effroyable coup de vent faisait
rage autour d'eux, sans pouvoir ébranler Siegbert
qui semblait rivé au sol.

Avec autant de soudaineté qu'elle était venue, la
rafale s'apaisait... Le bras du prince s'écarta, Myriam se trouva libre. Ils se remirent en marche,
sans échanger un mot.

La Maison des Abeilles apparut bientôt avec ses

fenêtres éclairées au rez-de-chaussée. Siegbert s'arrêta à une courte distance de la porte et s'inclina en enlevant sa toque.

— Vous voici arrivée à bon port. Mais je vous engage fortement à ne plus risquer pareille imprudence.

— Je remercie Votre Altesse, dit faiblement Myriam.

— Vous n'avez pas à me remercier, madame ; je n'ai fait que mon devoir.

Et, s'inclinant de nouveau, il s'éloigna dans la direction du parc, tandis que Myriam s'avançait vers la porte qu'ouvrait en ce moment Mme Sulzer.

— Enfin, vous voilà, madame !... Nous commencions à être dans des transes !

— Oh ! oui, Myriam, j'étais déjà si inquiète ! s'écria Rachel, qui apparaissait derrière Mme Sulzer.

— Pauvre chérie, je suis désolée !... Mais cette tourmente m'a surprise...

— C'était Gloster qui vous accompagnait ? demanda Mme Sulzer, tandis que la jeune femme entrait dans l'étroit vestibule.

D'une voix tout à coup changée, Myriam répondit :

— Non, c'était le prince de Hornstedt.

— Le... le prince ! bégaya Mme Sulzer.

Rachel saisit la main de sa sœur et leva ses doux yeux sur le visage un peu altéré.

— Oh ! ton mari, Myriam ! Tu l'as rencontré ?

— Oui, chez Gloster où il venait chercher un abri.

— Et il t'a reconnue ?... Il a été bien pour toi ?

— Il s'est montré correct, c'est tout ce qu'on peut demander de lui, répondit tranquillement Myriam. Allons, mignonne, laisse-moi, que je change vite de chaussures et que j'aille enlever ce manteau.

Mme Sulzer s'éloignait, avec la physionomie bouleversée d'une personne qui vient de recevoir une terrible nouvelle. Les deux sœurs ne s'en aperçurent pas, mais au dîner, Myriam remarqua son air préoccupé, de même qu'un degré plus accentué dans l'habituelle froideur — souvent mêlée d'une sorte d'acrimonie — que lui témoignait son hôtesse.

La jeune femme ne chercha pas à en découvrir la raison. Elle-même avait peine à réagir contre l'émotion pénible que lui causait cette rencontre inopinée.

La parfaite courtoisie du prince avait heureusement réduit au minimum son embarras. Ce grand seigneur se trouvait à la hauteur de toutes les circonstances, fût-il mis sans s'y être attendu le moins du monde en présence de la femme qu'il devait haïr comme un obstacle odieux et mépriser pour son origine.

Etait-ce bien ce même homme qui avait autrefois terrifié par son accueil la petite Myriam ? Certes, sa physionomie était hautaine, assez froide et fort intimidante, mais dans ce regard superbe, énergique et profond, la jeune femme, ce soir, n'avait pas vu trace de la colère et du mépris dont le jeune comte de Hornstedt l'avait jadis foudroyée.

Et pourquoi donc, au lieu de feindre de ne l'avoir pas reconnue, s'était-il imposé l'obligation — odieuse pour lui cependant — d'accompagner celle dont le sort devait lui être si parfaitement indifférent... et dont la mort serait pour lui une délivrance ?

Mais à quoi pensait-elle là ?... En dépit de son orgueilleuse dureté de cœur, le prince de Hornstedt demeurait un honnête homme, auquel ses traditions d'honneur feraient toujours un devoir de protéger, s'il la voyait menacée, cette existence qui était cependant pour lui « l'obstacle ». Il venait d'ailleurs de le prouver ce soir.

... Myriam songeait à toutes ces choses dans sa chambre, attenante à celle de Rachel. Accoudée à la table qui lui servait de bureau, elle appuyait sur sa main son front qu'auréolait la masse ondulante et dorée de sa chevelure... Autour d'elle, lui semblait-il, flottait un parfum de violette, doux et un peu enivrant.

Jusqu'alors, elle avait essayé d'oublier ce mariage, cette nocturne cérémonie qui lui semblait un mauvais rêve, ce lien l'unissant à un étranger qu'elle ne devait jamais revoir, ainsi qu'il l'avait dit lui-même. Seul, l'anneau de mariage demeurait comme le signe tangible de l'événement... Mais elle venait de le revoir, cet étranger qui était son mari, et l'amertume courageusement refoulée surgissait de nouveau à la pensée de la situation douloureuse qui serait la sienne, toujours.

Oui, cette rencontre enlevait réellement à Myriam un peu du repos de son cœur.

II

Tous ceux qui approchaient le prince Siegbert, et particulièrement ses anciens serviteurs, se trouvaient d'accord pour constater que son caractère s'était notablement modifié, depuis quelques années. Sa nature, déjà auparavant autoritaire, le devenait jusqu'à la dureté, sa fierté naturelle se changeait en hauteur impérieuse. D'une gaieté mordante, il passait presque sans transition, parfois, à une humeur sombre, taciturne, que redoutaient ses serviteurs, car il était alors fort difficile à satisfaire. Autrefois bon et généreux sous son aspect un peu froid, et fort disposé à rendre service, il faisait maintenant éconduire impitoyablement les solliciteurs, quels qu'ils fussent. Aucune influence, jusqu'alors, n'avait jamais réussi à fléchir cette volonté, à obtenir par la prière ou la séduction que le prince de Hornstedt usât de sa toute-puissance en faveur d'autrui, dès qu'il avait décidé de rester indifférent.

Cette âme semblait s'être durcie, avoir acquis un dédaigneux scepticisme qui s'exerçait particulièrement à l'égard des femmes. A vrai dire, un tel état d'âme avait quelque raison d'être. Sans parler de sa première expérience avec Carolia d'Eichten, Siegbert en avait fait d'autres qui ne contribuaient pas à lui montrer l'âme féminine sous le jour élevé et délicat qui, seul, eût pu satisfaire une nature comme la sienne. En outre, il ne voyait guère autour de lui que platitude, servilité.

basses flatteries. Toute la première, sa tante l'encensait avec dévotion et ne se fût pas permis la moindre remarque au sujet d'aucune de ses décisions.

Toutefois, elle ne put se retenir de laisser voir sa stupéfaction quand, au début d'août, il lui annonça qu'au lieu de se rendre en France, comme il en avait eu l'idée, il irait finir l'été à Hoendeck.

— A Hoendeck ?... Et seul ?

— Seul, certainement. Je n'aurais pas la cruauté de vous demander le sacrifice de m'accompagner là-bas.

— Tu sais bien, Siegbert, que je serais trop heureuse, si cela pouvait t'être agréable...

Il répliqua, en souriant avec quelque ironie :

— Non, non, ma tante, ne vous tourmentez pas de cela. Je veux faire une cure de solitude. Si le cœur vous en dit, venez me rejoindre en septembre. J'inviterai quelques intimes et nous chasserons.

— Mais les chasses de Hoendeck ne vaudront jamais celles de Gœlbrunn, ou de ton domaine de Marlberg !

— C'est possible, mais Hoendeck a mes préférences, cette année.

Devant cette péremptoire réplique, la comtesse n'avait plus qu'à approuver — ce qu'elle fit aussitôt.

On commenta beaucoup, dans les salons de Vienne, cette fantaisie du prince de Hornstedt choisissant, pour y passer le mois le plus brillant de l'été, ce domaine solitaire délaissé par lui depuis des années. Pour la comtesse de Sargen, ce fut une immense déception. Pendant les deux années qui venaient de s'écouler, elle avait relativement peu vu Siegbert, d'humeur voyageuse, et d'ailleurs chargé, par la confiance de son souverain, de négociations délicates dans lesquelles excellaient son tact et son intelligence pénétrante. Bien qu'elle eût constamment rencontré chez lui la plus dédaigneuse indifférence, la jeune veuve, de plus en plus éprise, ne se tenait pas pour battue. En le voyant souvent, pensait-elle, il lui serait plus facile de provoquer une détente, de ramener peu à peu en lui les sentiments d'autrefois. Car elle avait une très grande confiance dans son charme, dans son habileté, cette blonde comtesse et, apprenant que le prince refusait les unions les plus flatteuses, elle en était arrivée à se demander si, au fond, il ne lui avait pas gardé quelque attachement. Mais, orgueilleux comme il l'était, il voulait la punir, par un apparent dédain, par l'attente, par le doute angoissant. Et enfin, un beau jour, il se déciderait à pardonner.

Tels étaient les rêves qui hantaient l'imagination de Carolia. Elle n'en disait mot à sa marraine, qu'elle continuait de voir assez souvent, Mme de Hornstedt ayant pu se convaincre que ses relations avec la jeune veuve laissaient Siegbert fort insouciant. Toutefois, elle ne lui avait pas laissé ignorer — et la comtesse Sophie l'avait approuvée tacitement — qu'elle louait une petite villa à Biarritz, non loin de celle que le prince de Hornstedt y possédait. Ses toilettes, d'une élégance discrète et savante, avaient été commandées pour cette lutte suprême contre une rancune masculine... Et un caprice soudain, inexplicable, mettait à bas tout le plan dont Carolia attendait la victoire !

A Hoendeck et à Gleitz, l'annonce du séjour princier ne provoqua pas une moindre stupéfaction. Depuis tant d'années, le jeune seigneur ne daignait pas honorer de sa présence le vieux château et le

pays qui étaient le berceau de sa race !... L'amour-
propre des habitants se trouva immensément flatté
de cette préférence, et il fut décidé qu'une superbe
réception serait préparée au prince de Hornstedt.

En apprenant la nouvelle de cette prochaine arrivée, Mme Sulzer prit un air navré, en se murmurant
à elle-même :

— Je savais bien qu'il reviendrait, maintenant !

Quant à Myriam, elle éprouva un singulier serre-
ment de cœur, à la pensée qu'elle pourrait peut-
être le revoir par une rencontre inattendue comme
celle du mois de mars qui lui avait laissé une impression de bizarre tristesse.

Ce prochain séjour du prince étant le grand
événement du moment, on en parlait naturellement
chez les Oldrecht, où Myriam et Rachel se rendaient souvent. Le silence des deux sœurs à ce sujet
passait inaperçu, grâce au bavardage d'Aennchen
et à l'exubérance de Luitpold, qui venait d'arriver
pour passer les vacances en famille. Ce garçon de
vingt-deux ans, très gai, excellent cœur, ne causait
qu'un souci à sa famille : il avait depuis l'enfance
une ardente vocation pour la peinture et souffrait
en silence de devoir l'abandonner. Car les ressour-
ces étaient fort modiques chez les Oldrecht, et les
appointements du jeune homme, comme employé
des postes, suffisaient tout juste à son entretien.

La famille du docteur Blück avait encore une
autre cause de tristesse. Adelina devait prochainement entrer au couvent. Ces chrétiens pleins de foi
s'inclinaient devant une vocation longuement
mûrie, mais le sacrifice était profond et ceux qui
seraient entrés dans le bureau du docteur l'auraient
surpris bien souvent essuyant une larme qui glissait
le long de sa joue.

Myriam, tout en souffrant à cette perspective du départ de son amie, l'enviait d'entrer dans cette voie sûre où, parmi les épreuves, elle connaîtrait un tranquille bonheur dans le don absolu de tout son être à Dieu. Tandis qu'elle, pauvre Myriam... mariée sans avoir même la consolation de remplir les devoirs de l'épouse, sans posséder la liberté de la veuve, sans pouvoir non plus se consacrer à Dieu tout entière !...

Ces tristesses, ces amertumes pesaient d'un lourd poids sur l'âme de la jeune femme qui, plus que jamais, se ménageait des moments de solitude dans la vieille église où elle priait avec une ferveur qui l'avait fait surnommer « l'ange de Gleitz ».

Ce fut au retour d'une de ces stations pieuses qu'elle aperçut, flottant sur Hoendeck, la bannière seigneuriale. Instinctivement, elle hâta le pas, comme si elle redoutait de voir surgir tout à coup au détour de quelque sentier la haute silhouette du prince Siegbert.

Rachel, qui l'attendait au seuil de la maison, lui annonça que la nièce de Mme Sulzer venait de leur apprendre l'arrivée inopinée de Son Altesse, hier soir. La femme de charge, installée à Hoendeck depuis plusieurs jours, avait heureusement tout préparé, mais il subsistait néanmoins encore quelque perturbation au château.

— Ce sera une déception pour les habitants de Gleitz, qui avaient projeté de lui faire une réception triomphale, ajouta Rachel. Ils vont en être pour leurs frais, les pauvres gens... Mme Sulzer n'a pas l'air enchanté de voir arriver son maître, qu'en dis-tu ? Elle semblait tellement contrariée, pendant que Mme Halner racontait que le prince s'installait à Hoendeck comme pour un long séjour, qu'il avait fait venir voitures et chevaux, ainsi qu'une partie de son personnel ! Du reste, ne la trouves-tu pas bizarre, depuis quelque temps ?

— Certes, elle est d'humeur sombre. Peut-être souffre-t-elle davantage de ses rhumatismes, sans vouloir le dire.

Celle dont il était question descendait précisément du premier étage, un plumeau à la main. Elle enveloppa au passage, d'un coup d'œil plein de ressentiment, la jeune femme qui enlevait son chapeau avant d'entrer dans le parloir, où elle allait donner à Rachel sa leçon de dessin.

Dans l'après-midi, comme le temps était chaud et sans menaces d'orage, les deux sœurs quittèrent la maison avec l'intention de faire une promenade. Rachel s'était un peu fortifiée, cette année ; elle pouvait marcher davantage et se rendait chaque jour dans le parc de Hoendeck, dont l'étendue permettait des courses assez longues.

Mais maintenant, l'accès en était interdit à Myriam et à sa sœur, tant que Hoendeck posséderait son seigneur.

Elles se dirigèrent donc vers la forêt et gagnèrent une petite clairière où se trouvaient des troncs d'arbres abattus pouvant leur servir de sièges. Myriam se mit à terminer une robe de toile blanche destinée à Rachel. Les demoiselles Oldrecht lui avaient donné des leçons, de telle sorte qu'elle pouvait maintenant confectionner les costumes de sa sœur et les siens, très simples, mais portant la marque d'un goût inné dont s'émerveillaient ses amies.

Là, d'ailleurs, ne se bornait pas son travail. Elle brodait de véritables petits chefs-d'œuvre, sur des dessins imaginés par elle. Or, l'année précédente.

elle avait songé à profiter de ce talent pour gagner
sa vie et celle de Rachel. L'argent du prince de
Hornstedt — cet argent qu'il jetait dédaigneuse-
ment comme une compensation à l'épouse abandonnée — lui devenait odieux, et elle aspirait au
moment où elle pourrait le refuser fièrement. Puisque sa trop grande jeunesse l'empêchait momenta-
nément d'utiliser son rare talent de musicienne en
donnant des leçons de piano et de chant, elle pourrait peut-être arriver à vendre un bon prix ces
broderies que les dames Oldrecht, qui s'y connaissaient, déclaraient ravissantes.

Quand Myriam parla de son projet à Mme Sulzer,
celle-ci se récria :

— En voilà une idée ! Faire du commerce !...
Quand vous avez de l'argent plus qu'il ne vous en
faut !... Si vous croyez, d'abord, que Son Altesse
permettrait cela !

— Il ne le saura pas... à moins que vous le lui
disiez, madame Sulzer ?

— Bien sûr que non, je ne me mêle pas de ça...
Et après tout, s'il l'apprend, cela lui sera probablement bien égal... puisqu'il a dit que vous seriez
libres l'un et l'autre.

Par l'intermédiaire des dames Oldrecht, Myriam
envoya donc des échantillons de ses travaux à un
grand magasin de broderies. Ils furent fort appré-
ciés et la jeune femme reçut aussitôt plusieurs
commandes qui l'occupèrent tout l'hiver, en lui
rapportant une somme assez considérable. Rachel,
fort adroite aussi, commençait à l'aider un peu —
bien peu, car tout travail trop long lui était interdit.

— Reposez-vous, paressez le plus possible, enfant, recommandait le docteur Blück.

La fillette lui obéissait en ce moment. A demi étendue sur l'herbe de la clairière, elle jouait avec son petit chien dont les mines amusantes amenaient un sourire sur ses lèvres pâles.

Tout à coup, Rœtzchen se mit à gronder... Myriam, en tournant la tête, vit derrière elle un homme et une femme, sortes de Tziganes à mine peu rassurante.

La jeune femme ne put retenir un mouvement d'effroi. C'était la première fois qu'elle faisait une rencontre de ce genre dans les environs de Hoendeck, toujours très sûrs.

— Avez-vous quelque chose à nous donner ? demanda l'homme avec une sorte d'insolence. Nous n'avons plus de quoi manger, ma femme est malade...

La mégère au teint cuivré, aux yeux noirs luisants, avait une carrure et une mine qui s'accordaient assez peu avec ce mauvais état de santé... Néanmoins Myriam, voulant se débarrasser d'eux, glissa la main dans sa poche et l'explora vainement.

— J'ai oublié mon porte-monnaie ! Rachel, tu n'as pas un peu d'argent sur toi ?

— Non, rien, pas un kreutzer.

L'homme avança d'un pas et se trouva tout près de Myriam.

— Ne nous faites pas d'histoires ! Si vous ne savez pas où trouver votre argent, nous nous en chargerons, nous autres !

Myriam frissonna d'effroi, en voyant la physionomie bestiale de cet individu, en remarquant le ricanement cruel de la femme et le solide gourdin qu'elle tenait à la main. Mais, se dominant pour ne pas laisser paraître sa crainte, elle répondit froidement :

— Je vous répète que je ne puis rien vous donner. Allez au village, et demandez au presbytère.

— Ah ! vous ne voulez pas vous exécuter de bon cœur ? Attendez, nous allons vous montrer comment on...

Tout en parlant, il ébauchait un geste menaçant... Rœtzchen, qui grondait toujours, lui sauta à la jambe et y enfonça les dents.

L'homme eut un cri de douleur, suivi d'un jurement.

— A toi, Vorka ! fais-lui son affaire ! rugit-il.

Le gourdin se leva, s'abattit sur Rœtzchen ; la petite bête s'affaissa avec un gémissement.

Rachel jeta une exclamation douloureuse et, terrifiée, glissa sans connaissance entre les bras de Myriam.

La jeune femme, qui croyait entendre depuis quelques secondes un bruit de pas, lança désespérément un appel :

— Au secours !

— Vite, filons ! dit le bandit à sa compagne.

Ils détalèrent à toutes jambes, au moment où un homme s'élançait dans la clairière.

C'était le prince Siegbert. Un peu pâle, la physionomie anxieuse, il accourait vers Myriam, qui se raidissait pour ne pas tomber aussi, comme Rachel.

— Ces misérables vous menaçaient ?... Auraient-ils blessé l'enfant ? s'informa-t-il avec inquiétude.

— Non, heureusement !... Mais ils ont tué cette pauvre petite bête que ma sœur aimait beaucoup, et l'émotion, jointe à la terreur, lui a fait perdre connaissance. Elle est de si faible santé !

Myriam tremblait violemment et son visage était aussi pâle que celui de sa sœur.

— Donnez-moi cette enfant, elle est trop lourde pour que vous la souteniez ainsi, dit vivement Siegbert. Avez-vous un flacon de sels ?

— Oui, dans mon sac...

— Eh bien, cherchez-le pendant que je la tiens.

Tout en parlant, il mettait un genou en terre dans l'herbe de la clairière et prenait entre ses bras la fillette inanimée. Myriam, ayant trouvé aussitôt le flacon, l'approcha des narines de sa sœur.

Au bout de quelques secondes, les yeux de Rachel s'ouvrirent. Un peu vagues encore, ils se posèrent sur Myriam, puis rencontrèrent le visage du prince. L'enfant eut un mouvement de surprise, sur lequel se méprit Siegbert.

— Ne craignez rien, petite fille, je ne suis pas le malfaiteur de tout à l'heure, dit-il en souriant. Ces vilaines gens sont en fuite et je vais leur faire donner une chasse qui ne leur laissera pas la possibilité de s'échapper.

— Ah ! que j'ai eu peur ! soupira la fillette. Ils ne t'ont rien fait, ma Myriam ?

— Non, non, ma chérie...

— Et... et Rœtzchen ?

Elle se soulevait un peu, et son regard tomba sur le petit chien étendu sans vie à quelques pas de là.

Elle eut un gémissement de douleur.

— Mort !... Rœtzchen, mon Rœtzchen !

Myriam mit vivement sa main sur les yeux de sa sœur.

— Ne regarde pas, ma chérie ! Le pauvre petit n'a pas souffert, il est mort sur le coup.

De grosses larmes coulaient sur les joues de Rachel, que Myriam, agenouillée près d'elle, embrassait avec de tendres paroles... Siegbert semblait fort ému et soutenait avec une véritable sollicitude le frêle petit corps tout tremblant qui s'appuyait contre lui.

Il fit observer :

— Je crois qu'il serait bon de rentrer tout de suite, pour que l'enfant prenne quelque réconfortant.

— Oui... Mais elle n'aura pas la force de marcher.

— Oh ! je ne la laisserai même pas essayer.

Et se redressant, il enleva entre ses bras la petite fille.

Rachel protesta :

— Non, non, je suis trop lourde !

— Allons donc, vous n'êtes qu'une toute petite plume ! riposta-t-il en riant. Je vous porterais beaucoup plus loin que la Maison des Abeilles, soyez sans crainte.

Myriam rangea hâtivement son ouvrage. Ses mains tremblaient si fort qu'elle avait peine à faire entrer dans son sac les menus objets épars sur l'herbe.

— Venez vite ! Vous aussi avez besoin de vous remettre, dit Siegbert avec une intonation dont la douceur aurait fort surpris son habituel entourage. Si vous oubliez quelque chose, vous enverrez votre femme de chambre le chercher.

Myriam ne répliqua rien et le suivit dans la direction de la demeure de Mme Sulzer. Elle marchait près de lui, silencieuse, oppressée encore par l'angoisse de tout à l'heure, et peut-être aussi par l'émotion de cette nouvelle rencontre. Rachel, très abattue, laissait aller sa petite tête lasse contre l'épaule du prince. De temps à autre son regard se

levait sur le visage de Siegbert. Si jeune qu'elle
fût lors de leur première rencontre dans le parc
de Hoendeck, elle l'avait aussitôt reconnu... Et,
comme autrefois, elle se sentait prise de sympathie
pour lui, qui se montrait bon et aimable à l'égard
des deux sœurs, très empressé à leur rendre service.

De la fenêtre de la salle à manger, où elle se
trouvait précisément, Mme Sulzer aperçut les arri-
vants. Elle marmotta un : « Hélas ! Seigneur ! »
plein de désespoir et accourut aussi vite que le lui
permettaient ses jambes raidies.

— Allez vite préparer un cordial pour cette
enfant, Sulzer, et pour Mme de Hakenau qui a été
aussi très effrayée, ordonna le prince.

Mme Sulzer se hâta d'obéir, pendant que Myriam
introduisait Siegbert dans le petit parloir, où il
déposa Rachel sur sa chaise longue.

Myriam, d'un geste hésitant, lui avança un fauteuil. Il la remercia et s'assit près de Rachel, dont
il prit la petite main maigre.

— Vous voilà bien tranquille ici, maintenant ;
il faut vous calmer tout à fait, ma chère enfant,
dit-il avec douceur, en remarquant les soubresauts
nerveux qui agitaient la petite fille. Et une autre
fois, il ne faudra plus sortir toutes deux sans être
accompagnées.

Myriam, occupée à enlever le chapeau de sa
sœur, leva les yeux sur lui.

— Ce sera impossible, Altesse ; la servante de
Mme Sulzer n'aurait pas le temps.

— La servante de Mme Sulzer ?... Mais je suppose que vous avez une femme de chambre attachée
à votre service ?

Le teint délicat de Myriam rougit légèrement.

— Nous n'avons personne... Cette dépense était

tout à fait inutile dans notre position. Mon service
est fort peu compliqué, du reste, et moi seule m'oc-
cupe de Rachel.

Siegbert eut un froncement de sourcils.

— Cela veut dire que vous travaillez beaucoup
trop ?... Et pourquoi regardez-vous à payer les
gages d'une femme de chambre ? Est-ce que, par
hasard, Glotz négligerait...

Il s'interrompit, en voyant la teinte pourprée
qui couvrait le visage de la jeune femme.

— Non, Glotz est toujours parfaitement exact,
dit-elle avec un frémissement dans la voix.

Mme Sulzer entrait en ce moment, et Myriam
bénit son arrivée, car le prince avait la physionomie d'un homme disposé à pousser jusqu'au bout
les explications.

Myriam fit boire à sa sœur le cordial préparé
par les soins de Mme Sulzer. L'enfant semblait se
remettre un peu ; mais son regard prenait une expression désolée quand il tombait sur le coussin
où s'étendait habituellement le pauvre Rœtzchen.

— A la grande sœur, maintenant ! dit Siegbert.

Il prit la petite assiette supportant le second
verre et l'offrit à Myriam.

La jeune femme rougit légèrement.

— C'était vraiment inutile. Je ne suis pas aussi
impressionnable que Rachel.

— Cependant, vous tremblez encore, fit-il observer avec un coup d'œil sur la main qui prenait le
verre. Mais vous êtes courageuse et vous savez
prendre sur vous... Maintenant, je vais me retirer
pour donner des ordres immédiats au sujet de vos
agresseurs. Pourriez-vous m'indiquer à peu près
leur signalement ? ajouta-t-il en se levant.

Quand Myriam lui eut dépeint le mieux qu'elle

put les deux malfaiteurs, il demanda à Rachel, dont le regard profond et sérieux ne le quittait pas :

— Dites-moi, enfant, vous ferais-je plaisir en vous offrant un petit chien pour vous distraire ?

— Oh ! vous êtes trop bon ! Ce ne sera pas Rœtzchen, mais je l'aimerai bien vite autant !

— En ce cas, je vais écrire pour vous en faire envoyer un.

Se tournant vers Myriam, il ajouta :

— Et il me vient une idée. Puisque vous ne paraissez pas disposée — je ne sais pourquoi — à vous donner la commodité d'une femme de chambre, vous me permettrez de vous offrir un chien que je possède dans ma résidence de Gœlbrunn. C'est une bête superbe, de la race de Saint-Bernard, extrêmement fidèle et très douce, mais qui se montrera un terrible défenseur et un garde du corps dans toutes vos promenades.

Rachel s'écria :

— Justement Myriam disait l'autre jour qu'elle serait contente d'avoir un chien pour l'accompagner !... Et puis, la nuit, nous avons quelquefois un peu peur, car la maison est bien isolée.

— Vous voyez donc qu'Hamid vous sera fort utile. Je vais vous le faire expédier... Non, pas de remerciements, je vous en prie ! C'est un plaisir pour moi de vous le donner, car je sais qu'il sera choyé ici. Allons, au revoir, petite fille, et oubliez ce mauvais après-midi !

Sa main longue et fine serra les doigts maigres de Rachel, puis se tendit vers Myriam. La jeune femme rencontra en même temps un regard dont la douceur ardente la pénétra d'un trouble profond... Avec une hésitation visible elle mit sa main dans celle qui lui était offerte, tandis que tombait sur ses beaux yeux émus l'ombre frémissante des cils dorés.

Mme Sulzer, dont le visage était comme crispé, reconduisit son maître jusqu'à la porte du vestibule. Avant d'en franchir le seuil, Siegbert s'arrêta et se tourna vers la vieille femme.

— Il faut bien les soigner, Sulzer. L'enfant est très frêle, et Mme de Hakenau semble aussi un peu délicate.

— Elle n'est cependant jamais malade, Votre Altesse. Peut-être a-t-elle un peu d'anémie.

— Ne se fatigue-t-elle pas ?... Et à ce propos, pourquoi n'a-t-elle pas de femme de chambre ?

— Elle n'a jamais voulu en entendre parler, et tient à faire elle-même son petit ménage, en ne laissant à Dorothée que le gros ouvrage.

— Quelle singulière idée !... Arrangez-vous pour que cela cesse, Sulzer, j'y tiens absolument... Et si, pour une raison ou pour une autre, ses revenus ne sont pas suffisants, dites-le-moi franchement.

— Pas suffisants ! Mais elle n'en prend pour elle et sa sœur qu'une petite partie de rien du tout ! Le reste s'en va en bonnes œuvres... Mme de Hakenau vit très simplement, fait elle-même les vêtements de Rachel et les siens. Mais je n'y puis rien, car elle a beaucoup de volonté, sous son air doux, et quand une fois elle dit non, pour certaines choses...

Siegbert répliqua, d'un ton qui témoignait d'une vive contrariété :

— Enfin, quelle raison vous donne-t-elle de cette manière d'agir ?

— Elle ne m'en donne pas, Votre Altesse.

Le prince leva les épaules.

— C'est que vous ne savez pas vous y prendre. Il doit exister là quelque exagération de délicatesse, dont vous auriez dû avoir raison.

Le teint jauni de Mme Sulzer s'empourpra.

— Votre Altesse croit donc que... que je n'ai pas rempli mon devoir près de Mme de Hakenau ? bégaya-t-elle.

Siegbert se mit à rire, en posant sa main sur l'épaule de l'ancienne femme de charge.

— Allons, ne prenez pas mon reproche au tragique, ma pauvre Sulzer ! Je suis persuadé que vous faites tout ce qui est en votre pouvoir pour Mme de Hakenau et pour sa sœur. Continuez donc... et, très discrètement, donnez à votre servante les aides nécessaires, de telle sorte que le service de vos hôtes soit assuré... Discrètement, vous m'entendez, afin de ne contrarier en rien Mme de Hakenau ?

Il fit quelques pas, puis s'arrêta de nouveau.

— Pourquoi donc cette jeune femme est-elle si sévèrement vêtue de noir ?

Mme Sulzer balbutia, l'air embarrassé :

— Votre Altesse... c'est que... elle passe pour veuve.

Siegbert eut un léger tressaillement, et une ombre couvrit son regard.

Puis, avec un impatient mouvement d'épaules, il déclara :

— Elle peut en tout cas maintenant adopter une mise moins austère. Vous le lui ferez entendre — toujours avec discrétion. Bonsoir, ma bonne Sulzer.

Il s'éloigna, suivi du regard par Mme Sulzer qui, en joignant les mains, murmurait avec désolation :

— Ça y est, Seigneur !... ça y est !

III

Le lendemain, vers deux heures, comme arrivaient Valérie et Aennchen, venues pour voir Rachel dont la nuit avait été un peu mauvaise après l'émotion de la veille, on vit apparaître Murken, le premier valet de chambre du prince, « le fidèle muet », comme l'appelait son maître qui appréciait à leur valeur sa discrétion et son ardent dévouement. Il venait, au nom de Son Altesse, s'informer si Mme de Hakenau et la jeune comtesse Würmstein ne s'étaient pas trop ressenties de leur secousse.

Valérie et sa sœur laissèrent voir quelque surprise, le prince de Hornstedt n'ayant jamais, jusqu'alors, paru se rappeler l'existence des ex-pupilles de son père.

— Il n'est pas fier du tout, malgré son grand air ! déclara spontanément Rachel. Je l'ai trouvé très bon... et il m'a même promis un petit chien !

Valérie répliqua en souriant :

— C'est que vous avez fait sa conquête, ma petite Rachel. Ce n'est pas chose très facile, paraît-il, car on le dit assez hautain, et d'abord difficile.

— Je ne m'en suis pas aperçue, pour ma part. Et il est si bien... si bien ! Il a des yeux que j'aime tant !

L'enthousiasme de Rachel paraissait fort amuser Valérie et Aennchen. Mais Myriam, assise près de sa sœur, gardait la tête penchée sur son ouvrage. Plus que jamais, depuis qu'elle avait revu le prince, il lui était pénible et embarrassant d'en entendre parler devant elle. Aussi, pour changer la direction de l'entretien, adressa-t-elle une question à Valérie au sujet de son fiancé, Ludwig Marlbach, jeune sous-officier intelligent et de conduite exemplaire qui devait, au début de l'automne, mener à l'autel la nièce du docteur Blück.

... Quelques jours plus tard, on vit arriver à la Maison des Abeilles le chien de Saint-Bernard annoncé, une bête magnifique, aux longs poils et à la tête majestueuse. Son son collier, une plaque d'or portait gravés ces mots : Hamid, à S.A.S. le prince de Hornstedt.

En même temps, Murken apportait entre ses bras un délicieux petit chien aux longues soies blanches et aux yeux noirs très vifs, qui fit jeter à Rachel des cris d'admiration et de joie.

« Ça va bien, ça va bien ! songeait Mme Sulzer, dont la physionomie était fort sombre. A-t-elle eu vite fait de le retourner !... Bien sûr qu'il trouverait difficilement la pareille. Mais quel malheur qu'ils se soient rencontrés !... Comment tout cela va-t-il s'arranger maintenant ? »

Rachel, ravie, nomma séance tenante son petit chien Lilio. Puis, au cours du déjeuner, elle demanda s'il ne serait pas mieux d'aller remercier le prince, plutôt que de lui écrire.

Ce ne fut pas l'avis de Mme Sulzer, qui déclara d'un air assez maussade que Son Altesse ne se dérangerait certainement pas de ses occupations pour recevoir une petite fille.

Rachel, pour qui la correspondance avait peu d'attrait, soupira un jour :

— Alors, je vais écrire. Tu m'aideras, Myriam, car c'est difficile à tourner, cette lettre-là ?

— Mais non, chérie, tu n'as qu'à laisser parler ton cœur et à dire tout simplement au prince le grand plaisir qu'il t'a causé.

Quand la jeune femme eut installé sa sœur dans le jardin, avec Lilio sur ses genoux et Hamid à ses pieds, elle regagna le parloir et se mit au piano, dans l'intention d'étudier un peu son chant. Elle avait une voix admirable, au timbre chaud et velouté, qu'une religieuse lui avait appris à bien diriger. Mais elle évitait de chanter souvent devant Rachel, car l'enfant, trop impressionnable, pleurait en écoutant ces accents d'une expression véritablement saisissante et déclarait :

— C'est trop beau !... Cela me fait penser au ciel, Myriam !

Depuis un long moment la jeune femme était là, s'absorbant dans la pure jouissance de cet art qu'elle aimait tant, détaillant avec une véritable ferveur une œuvre de Bach... Enfin, songeant que l'heure avançait, que Rachel était seule, elle se leva, ferma le piano et se détourna... Aussitôt, son visage se couvrit d'une vive rougeur. Le prince de Hornstedt était là, debout au seuil du parloir.

— Quelle merveilleuse surprise !... et quel plaisir incomparable vous venez de me causer !

Il s'avançait, en parlant ainsi d'un ton vibrant d'enthousiasme et en attachant sur la jeune femme un regard où se discernait une admiration mal contenue.

— ... J'ai entendu les plus célèbres cantatrices d'Europe, mondaines et professionnelles, mais aucune ne m'a procuré une émotion comparable à celle que j'ai éprouvée tout à l'heure.

Myriam, saisie d'une violente confusion, baissait les yeux sous l'ardente flamme de ces prunelles bleu sombre dont le souvenir la poursuivait depuis l'incident de la forêt.

Siegbert dit avec un sourire dépouillé de l'ironie habituelle chez lui :

— Mes compliments vous gênent ? Cependant, ils sont tellement sincères ! Je suis un mélomane passionné ; une belle voix surtout me transporte... Oserai-je solliciter la grâce de vous entendre encore ?

Elle aurait voulu refuser. D'autre part, la voix, le regard de Siegbert avaient une singulière éloquence...

Elle objecta, en rougissant plus fort :

— Sachant que vous m'écoutez, maintenant, je ne sais trop si je pourrai... Je n'ai pas l'habitude de chanter devant quelqu'un...

— Eh bien, je vais vous accompagner. Ainsi, je n'aurai pas l'air de vous écouter et vous chanterez plus à votre aise.

La voix de Myriam tremblait pendant les premières mesures ; mais elle se raffermit bientôt, reprit son ampleur et, tout entière à l'œuvre qu'elle interprétait, la jeune femme en arriva presque à oublier la personnalité de celui qui l'accompagnait — admirablement, du reste.

Comme la dernière note s'éteignit sous les doigts de Siegbert, Rachel apparut au seuil de la porte-fenêtre ouverte.

— Oh ! vous êtes là, prince ! Quel bonheur ! Je vais pouvoir vous remercier moi-même, au lieu de vous écrire !

Hamid, qui l'avait suivie, s'élançait vers son maître et se roulait à ses pieds en haletant de joie.

— Tu es content de me revoir, mon brave Hamid ?... Allons, recule-toi, que je dise bonjour à ma petite amie Rachel... Vous avez belle mine aujourd'hui, enfant...

Ses mains tendues saisissaient la main fluette de Rachel et la pressaient amicalement.

— J'ai été si heureuse ! Lilio est tellement joli !... Comme je remercie Votre Altesse !

Il sourit, en voyant le ravissement et la reconnaissance de la fillette.

— Je suis très satisfait de vous avoir fait plaisir, Rachel... Hamid a-t-il plu aussi à sa nouvelle maîtresse ?

Myriam, en remerciant à son tour, répondit que le Saint-Bernard était une bête très caressante, et que depuis le matin il n'avait cessé de la suivre dans ses allées et venues.

— C'est que ma sœur charme tous les animaux, affirma Rachel. Ainsi, la sœur du docteur Blück a un vieux chat qui griffe tout le monde, et ne se laisse prendre tranquillement que par Myriam.

— Mais c'est un don inappréciable, cela ! dit le prince en riant. Que serait-ce donc, s'ils entendaient votre voix !

Rachel s'écria joyeusement :

— N'est-ce pas qu'elle est magnifique, la voix de ma sœur chérie ?

Siegbert sourit, en mettant un doigt sur ses lèvres.

— Chut, enfant, épargnons-lui les compliments ! Voyez comme vous la faites rougir encore... Mais je vous retiens là, debout, toutes deux. Etiez-vous installée dans le jardin, Rachel ?

— Oui, Altesse, j'y suis toujours quand il fait beau.

— Eh bien, il faut y retourner... Je vais, si vous

le voulez bien, vous y accompagner, car j'ai une
petite communication à vous faire.

Du regard, il demandait l'autorisation de
Myriam. Elle inclina légèrement la tête et le précéda hors du parloir, vers le berceau couvert de
chèvrefeuille sous lequel étaient installées la chaise
longue et la table de Rachel.

— Vous voyez, prince, j'étais en train de vous
écrire, dit la fillette en montrant la feuille étalée
sur un buvard. Je voulais aller au château pour
vous remercier, mais Mme Sulzer a dit que je vous
dérangerais.

— Quelle idée ! Je vous aurais au contraire
reçue avec le plus grand plaisir... Voyons, asseyez-
vous, petite fille, pour écouter ce que j'ai à vous
dire...

Un bruit de vaisselle brisée l'interrompit. Au
seuil d'une porte donnant sur le jardin venait d'apparaître Mme Sulzer, portant sur un plateau le lait
que Rachel avait coutume de prendre dans l'après-
midi... Et c'était ce plateau qui venait de lui glisser
des mains.

— Ma pauvre Sulzer, quelle catastrophe ! s'écria
Siegbert.

Myriam s'élança vers elle et se pencha pour ramasser les objets encore intacts. Mais Mme Sulzer,
dont la physionomie semblait toute bouleversée,
balbutia :

— Non, non, madame, laissez cela ! Je vais
réparer ce malheur...

— Ne faites pas une tête si désolée, Sulzer ! dit
le prince avec une gaieté moqueuse. Pour une tasse
et un petit pot, ce n'est pas la peine, en vérité !

— Et je suis très contente, madame Sulzer,

parce que je n'aurai pas de lait à prendre aujour-
d'hui, ajouta malicieusement Rachel.

— Oh ! il y en a d'autre à la cuisine, ne craignez
rien !

— Ne l'aimez-vous donc pas, enfant ? demanda
Siegbert.

— C'est ce que je déteste le plus au monde !

— Et ce que le docteur Blück lui recommande
instamment, ajouta Myriam en se rapprochant de
sa sœur et en caressant la joue blanche où l'air
avait mis un peu de couleur.

— En ce cas, il faut absolument vous résigner.
Sulzer vous en rapportera et vous le boirez devant
moi... Savez-vous que maintenant, il faudra
m'obéir, puisque je serai votre tuteur, au lieu et
place de Glotz ?

— Mon tuteur ! Oh ! quel bonheur !

Il se mit à rire, en entendant ce cri spontané.

— Voilà qui est excessivement flatteur pour
moi ! Ce pauvre Glotz ne vous était donc pas sym-
pathique ?

— Je ne le connaissais guère ; c'est tout au plus
si nous l'avons vu trois ou quatre fois... N'est-ce
pas, Myriam ?

— Pas plus, en effet, dit la voix un peu changée
de Myriam.

La jeune femme avait peine à dissimuler la stupéfaction où la jetait cette nouvelle annoncée par
le prince avec autant de calme que s'il se fût agi
de la chose la plus naturelle du monde. Lui, se
faisant volontairement le tuteur de Rachel Würmstein !... Ne lui suffisait-il pas d'être uni à l'aînée
par ce lien qu'il s'était arrangé pour rendre le plus
léger possible ?

Elle ne remarqua pas le coup d'œil rapide et

discrètement investigateur que Siegbert jetait sur
sa physionomie perplexe... En se penchant vers
Rachel, le prince reprit avec gaieté :

— Ne vous réjouissez pas trop, enfant, car je
serai un tuteur très sévère !

— Mais très bon aussi ! dit-elle en posant sa
petite main sur celle qu'il appuyait au bras de la
chaise longue et en levant sur lui ses beaux yeux
confiants.

— Qui ne le serait pour une gentille enfant
comme vous ?... Eh bien, Sulzer, si vous vous dé-
pêchiez d'aller chercher le lait de Rachel ? Laissez
tout cela tranquille, vous le ferez enlever plus
tard... Et servez-nous donc le café.

Mme Sulzer s'attardait à ramasser les débris de
porcelaine, et pendant ce temps son oreille ne perdait pas une syllabe des paroles prononcées. En
entendant le prince annoncer qu'il prenait la
tutelle de Rachel, elle était devenue pâle d'émotion. Mais à l'apostrophe impatiente de son maître,
son visage s'empourpra jusqu'à la racine des cheveux et, se redressant aussitôt, elle s'éloigna d'un
pas hâtif.

Tandis que, en poussant force soupirs, elle faisait
chauffer le lait et préparait le café, Siegbert, assis
près de Rachel, causait comme il savait le faire
quand il le voulait bien. Doué d'un esprit fin et
profond, d'une intelligence très au-dessus de l'ordinaire, il avait en outre beaucoup lu, beaucoup
voyagé, beaucoup observé aussi, et connaissait
toutes les cours d'Europe, ainsi que nombre
d'hommes célèbres dans les arts, les sciences ou la
politique. Mais le travers fréquent chez les brillants causeurs n'existait pas chez lui. Bien au contraire, il possédait à fond l'art d'entraîner ses inter-

locuteurs dans la conversation et d'arriver, avec
une habileté toute diplomatique, à connaître leur
degré d'intelligence, leur culture morale et intellectuelle, leurs goûts et leurs habitudes.

Myriam, tout d'abord, restait silencieuse et
gênée. Peu à peu, cependant, elle répliqua, montrant sa fine intelligence, son esprit si droit, son
exquise délicatesse d'âme. Si le prince avait sup-
posé se trouver en face d'une jeune provinciale
sans grand bagage intellectuel ou artistique, il se
voyait obligé maintenant de reconnaître son erreur
et de se dire qu'il n'existait pas de jouissance comparable à celle de converser avec Myriam, d'entendre tomber de ces lèvres charmantes une apprécia-
tion pleine de finesse, de voir un rayonnement
d'enthousiasme dans ces yeux admirables qui
l'émouvaient jusqu'au plus intime de son être.

Rachel écoutait avec ravissement. Elle avait
l'esprit assez développé pour comprendre en
grande partie les sujets qui se traitaient devant
elle ; mais surtout, elle était heureuse de « les »
voir là, tous deux ! Chaque jour, secrètement,
depuis qu'elle avait revu le prince, elle demandait
à Dieu qu'Il amenât la réunion de Myriam et de
son mari. Vraiment, ils avaient l'air de s'entendre
si bien ! Tout à l'heure, au sujet d'une œuvre
littéraire dont parlait Myriam, le prince avait dit
en souriant :

— Décidément, nous avons tout à fait les mêmes
goûts.

Le regard joyeux de la fillette allait de l'un à
l'autre, s'arrêtant plus longuement sur Myriam.
Qu'elle était donc jolie, avec son visage un peu
animé par la conversation et ce rien de rose qui

montait à son teint délicat ! Et lui était si beau, si aimable.

Mais, comme Mme Sulzer venait de servir le café, on vit apparaître Valérie, Luitpold et Aennchen Oldrecht. Siegbert, interrompu dans l'explication qu'il donnait à Myriam sur l'œuvre récente d'un compositeur français, fronça légèrement les sourcils et accueillit avec froideur la présentation très cordiale pourtant que lui firent les deux sœurs de leurs amis. Les jeunes Oldrecht, passablement gênés, restaient presque silencieux, et l'exubérant Luitpold lui-même ne trouvait rien à répondre aux essais de conversation de Myriam, Seule, Rachel causait joyeusement en essayant de vaincre la taciturnité inhabituelle d'Aennchen.

— Mais enfin, qu'as-tu ? finit-elle par s'écrier avec impatience. Es-tu malade ?... Et c'est contagieux, car voilà M. Luitpold qui ne dit rien non plus.

— C'est peùt-être moi qui paralyse les langues ? dit Siegbert avec quelque ironie. Mais voici l'heure de me retirer...

— Non, non ! supplia Rachel. Restez encore ! M. Luitpold, je le vois, a apporté ses dessins ; il va vous les montrer... Vite, sortez-les de ce carton, monsieur Luitpold !

Le jeune homme rougit en répliquant :

— Ces insignifiants essais d'un ignorant ne peuvent intéresser Son Altesse.

— Ils ne sont pas insignifiants du tout, intervint Myriam. Autant que j'en puis juger, vos dispositions sont remarquables.

— Eh bien, montrez-nous cela, dit Siegbert, en s'accoudant nonchalamment au bras de son fauteuil.

Rachel demanda, tandis que le jeune homme dénouait les cordons du carton qu'il avait apporté :

— Aurez-vous bientôt fini le portrait de Myriam ?

— Il est presque terminé ; mais il faudrait que Mme de Hakenau m'accordât une dernière séance de pose.

— Ce sera facile, quand vous voudrez, dit Myriam.

Le pli qui s'était formé sur le front du prince à l'arrivée des Oldrecht s'accentua encore, et sa physionomie prit cette expression dure et impatiente qui faisait dire à ses serviteurs : « Son Altesse est dans ses jours d'orage ! Attention à nous ! »

Luitpold sortait ses dessins, les étalait sur une table que Myriam avait posée entre Rachel et le prince. Puis il jeta un timide coup d'œil, interrogateur et anxieux, vers le seigneur de Hoendeck.

— Evidemment, il y a là du talent, déclara Siegbert. Comme l'assurait tout à l'heure Mme de Hakenau, vous avez de très belles dispositions... Vous destinez-vous à la peinture ?

— Malheureusement non, Altesse ! Je suis employé des postes, comme l'était mon père, et je n'aurai jamais les moyens d'aborder la carrière artistique.

— Il est bien dommage pourtant de laisser improductive cette vocation ! dit Myriam avec regret. Il vous faudrait quelque sinécure administrative, qui vous laissât beaucoup de loisirs pour travailler...

Elle songeait, en parlant ainsi, que le prince de Hornstedt pouvait, s'il le voulait, aider puissamment le neveu du docteur Blück.

Mais aucune offre ne vint. Siegbert se leva, en disant :

— Je me suis vraiment fort attardé. C'est la faute du café de Sulzer, qui était exquis. Vous le lui direz, Rachel ?... Allons, au revoir, ma jeune pupille.

Comme il se penchait vers Rachel, la touffe de violettes attachée à sa boutonnière tomba sur les genoux de l'enfant.

— Gardez-les, petite fille, dit-il en repoussant doucement la main qui les lui tendait.

— Oh ! merci, Altesse ! La violette est ma fleur préférée, et celle de Myriam... Mais reviendrez-vous me voir ?

— Rachel, quelle indiscrétien ! s'écria Myriam.

Siegbert riposta en souriant :

— Mais pourquoi donc ? Je suis au contraire charmé de cette demande qui me prouve que Rachel n'a pas peur de son sévère tuteur. Oui, je reviendrai, enfant, je vous le promets.

Il s'inclina devant Myriam, répondit brièvement au salut des jeunes Oldrecht et se dirigea vers le vestibule conduisant à la porte du logis. Comme Mme Sulzer sortait de la salle à manger, il l'apostropha d'un ton de froide impatience :

— A quoi pensez-vous donc, Sulzer ? Quand je suis arrivé, j'ai trouvé la porte ouverte... et la voilà encore de même, permettant à tout venant d'entrer, d'arriver jusqu'à vos hôtes, comme l'ont fait ces jeunes Oldrecht.

— Mais, Votre Altesse, ce sont des amis de Mme de Hakenau et de Rachel... des amis intimes, et les seuls qu'elles voient ici.

— Vraiment, des amis intimes ? Viennent-ils souvent ?

— Très souvent, oui, Votre Altesse.

— Vous aurez soin, quand je suis ici, de consigner à la porte les étrangers, eux comme les autres.

Sur cet ordre, Siegbert tourna les talons, suivi par le regard désespéré de Mme Sulzer.

Il s'engagea dans le parc, d'un pas sans hâte. Le pli de son front ne s'effaçait pas. Il songeait avec irritation à ce Luitpold Oldrecht, ce petit employé des postes qui se permettait d'être amoureux de Myriam, comme il était facile de s'en apercevoir à ses regards d'humble adoration. Il ne se doutait pas, cet imprudent, qu'il venait de se trouver en face du seigneur et maître de la soi-disant Mme de Hakenau — un maître qui jusqu'alors avait ignoré l'inestimable trésor dont il était possesseur. Mais ce temps-là était bien passé. Après sa rencontre avec Myriam chez les Gloster, Siegbert, poursuivi par le souvenir de la délicieuse apparition, avait dû se rendre à l'évidence : cette femme délaissée, méprisée, avait produit sur lui une impression profonde, ineffaçable. Sa rare beauté, son charme si pur, sa grâce très aristocratique réalisaient un ensemble tel que le prince de Hornstedt, ébloui, captivé, s'était dit : « Mais je serais un fou, si j'abandonnais à la solitude cette merveilleuse créature, qui est ma femme, devant Dieu, sinon devant les hommes. »

Certes, il y aurait toujours ce pénible point noir que représentait l'aïeul. Mais Myriam continuerait d'être ignorée officiellement. Siegbert l'installerait à l'étranger, dans une charmante retraite où il irait souvent la retrouver. A leurs enfants, s'ils en avaient, il ferait donner ce nom de Hakenau, que portait déjà la jeune femme. Ainsi, le secret de ce mariage demeurerait sauvegardé, et lui trouverait le bonheur intime qu'il avait cru impossible pour lui.

Depuis ses dernières rencontres avec Myriam, les sentiments du prince prenaient une nouvelle intensité. C'était vraiment l'amour avec toutes ses exigences, toutes ses jalousies. Myriam, physiquement, moralement, intellectuellement, réalisait l'idéal féminin auquel il avait rêvé, dans sa première jeunesse. Aussi était-il prêt, pour elle, à faire taire les répugnances que lui inspirait son origine maternelle.

Il avait arrangé ce séjour à Hoendeck dans l'intention de la revoir, de la mieux connaître. Puis il lui dirait : « Je vous aime... Je ne peux plus vivre sans vous. Partons, Myriam, allons cacher notre bonheur loin des curiosités indiscrètes. »

Quant à ce que présenterait de pénible et d'humiliant pour elle la situation équivoque qu'il lui préparait ainsi, Siegbert ne voulait pas s'y arrêter — ou, du moins, il songeait, avec l'inconscient égoïsme de son orgueil :

« Elle pourra me faire ce sacrifice, car j'en ferai aussi, pour l'amour d'elle. »

...Dans le jardin, après le départ du prince, Luitpold s'exclamait :

— Comment, il est maintenant le tuteur de Rachel ?

— Oui, il est venu nous annoncer aujourd'hui qu'il prenait la place de Glotz, répondit la voix un peu oppressée de Myriam.

— Et j'en suis si contente ! s'écria Rachel qui aspirait avec délices ses violettes. Il est tellement aimable et bon !... Sens donc ceci, Myriam !

D'un mouvement instinctif, Myriam détourna un peu ses narines des fleurs qu'en approchait la petite main de Rachel. Si souvent ce parfum l'avait poursuivie, après sa première rencontre avec le prince, dans la forêt !

Aennchen, que le départ du noble visiteur semblait remettre dans son état naturel, déclara en secouant la tête :

— Aimable, oui, pour toi, Rachel. Mais autrement... Il a trop l'air de tenir les gens à distance... Et puis, il semblait contrarié de nous voir arriver. Dis, Luitpold ?

— C'est évident... On ne peut nier qu'il soit un homme superbe, et qui doit savoir charmer, quand il le veut ; mais il est fort intimidant et passe d'ailleurs pour avoir un caractère assez fantasque... Enfin, je crois, mes chères sœurs, que nous n'avons pas eu l'heur de plaire à Son Altesse ! conclut le jeune homme avec sa bonne humeur habituelle.

— Moi, je plains beaucoup Rachel d'être sa pupille ! s'écria impétueusement Aennchen. A sa place, j'aurais très peur de lui.

Rachel eut un joli rire clair.

— Peur de lui ! Quelle idée !... Mais je lui parlerai beaucoup de vous tous et quand vous vous rencontrerez avec lui, vous changerez d'avis à son sujet... car il sait être si bon, je vous assure !

Myriam ne s'associa pas à cette affirmation de sa jeune sœur. Elle était froissée de l'attitude prise par le prince à l'égard des neveux de cet excellent docteur Blück, qui avait soigné avec dévouement le comte Chlodwig. N'aurait-il donc pas de cœur, ce beau prince Siegbert, en dépit de l'affectueux intérêt qu'il semblait témoigner à Rachel ?... Au reste, il avait bien montré autrefois, dans sa conduite envers Myriam Würmstein, que l'orgueil l'emportait chez lui sur toute autre considération. Pour un

motif qu'elle ignorait, les jeunes Oldrecht lui
avaient déplu... et il le leur avait montré, sans
souci de blesser une famille estimable qui possédait
au contraire tous les titres pour mériter sa faveur.

La jeune femme se promit de modérer l'enthousiasme de Rachel. Cette visite, ce long entretien
avec le prince lui avaient laissé une impression
d'émoi profond qu'elle n'analysait pas, mais qui la
troublait.

Si peu expérimentée qu'elle fût, elle sentait bien
qu'il l'admirait, et elle songeait, avec un mélange
de révolte et d'angoisse : « Que veut-il donc, en
venant ainsi ? Un rapprochement ? Mais je serai
toujours pour lui la petite-fille d'un homme qu'il
méprise... Une femme qu'il considérerait comme
un déshonneur de présenter à ses pairs sous le nom
de princesse de Hornstedt ! »

Myriam se trouvait ainsi partagée entre cette
inquiétude et l'attrait incontestable que lui inspirait cet homme qui se montrait à elle avec toute sa
séduction physique et intellectuelle, et témoignait
à Rachel un intérêt presque fraternel. Mais elle
était bien décidée à ne rien faire pour l'encourager
à ces rapports qu'il s'avisait de nouer tout à coup,
après avoir autrefois décidé que toujours celle dont
il avait dû faire sa femme resterait pour lui une
étrangère.

IV

Désormais, plusieurs fois dans la semaine, Siegbert apparut à la Maison des Abeilles. Il venait soit à pied, soit au retour d'une promenade à cheval, et s'attardait longuement dans le petit parloir où l'accueillaient le sourire joyeux de Rachel et la réserve un peu fière de Myriam. Pour distraire la petite fille plus souffrante depuis l'incident de la forêt, il causait gaiement, racontant d'amusantes anecdotes qui faisaient rire la jeune malade et amenaient sur les lèvres de Myriam un de ces sourires charmants qui se communiquaient aux beaux yeux veloutés. Pour Rachel encore arrivaient des caisses de livres, de jolis bibelots artistiques et, deux fois par semaine, une petite manne d'osier remplie de violettes provenant directement des serres de Gœlbrunn.

Parmi les livres enfantins, il s'en trouvait toujours trois ou quatre de beaucoup plus sérieux, dont Siegbert disait :

— Ceux-là sont pour la grande sœur. Lisez-les, madame ; je serais heureux de savoir s'ils vous font le même plaisir qu'à moi-même.

C'était une occasion d'engager une de ces fines causeries littéraires qu'il aimait. Souvent aussi, il demandait à la jeune femme de chanter. Cette voix magnifique semblait exercer sur lui une impression extraordinaire... Un jour, en accompagnant un *Stabat Mater* où Myriam rendait avec une poignante expression la souffrance de la Mère des douleurs, il

s'interrompit tout à coup, en disant d'une voix
étouffée :

— Je ne puis entendre cela ! Il semble que vous
souffrez réellement, Myriam !

Elle tressaillit, et son visage s'empourpra. C'était
la première fois qu'il l'appelait ainsi. Troublée au
plus profond de son être, elle détourna les yeux du
regard ému, brûlant.. Heureusement Rachel pro-
duisit une diversion. Profondément saisie, elle
aussi, par le chant de sa sœur, la petite fille san-
glotait sur sa chaise longue. Myriam courut à elle,
pour la calmer par de tendres paroles. Siegbert vint
à son aide et réussit à ramener le sourire sur les
lèvres de l'enfant.

— Puisque ma voix produit un tel effet, je ne
chanterai plus ! déclara Myriam.

Siegbert protesta :

— Ne dites pas cela ! Mais nous choisirons des
œuvres moins émouvantes, moins poignantes surtout. Pour vous-même, ce sera préférable, car vous
mettez trop de votre âme dans votre chant... Je vais
écrire afin de vous faire venir d'autre musique.

La jeune femme remercia, d'un air légèrement
contraint. Sa réserve des premiers jours devenait
peu à peu de la froideur. Elle était inquiète, au sujet
des desseins que poursuivait Siegbert en continuant
ces relations constantes avec la Maison des Abeilles.
L'intérêt passionné qu'elle discernait dans son
regard, dès qu'il s'arrêtait sur elle, la troublait
profondément, lui donnait une sensation de joie
mêlée d'angoisse... Et d'autre part, elle avait
remarqué, non sans confusion, la surprise inquiète
que ne pouvaient dissimuler complètement le docteur Blück et sa nièce, quand Rachel racontait
devant eux que le prince de Hornstedt venait sou-

vent chez Mme Sulzer et qu'il se montrait des plus aimables pour sa sœur et pour elle.

« Cela leur semble étrange, que cet orgueilleux grand seigneur se dérange ainsi pour les petites-filles d'Eliezer Onhacz ! » songeait la jeune femme avec un pénible émoi.

Puis un incident était venu lui démontrer que le prince prétendait agir en maître, absolument comme s'il n'avait pas autrefois déclaré que Myriam et lui conserveraient leur indépendance.

Les Oldrecht, depuis qu'ils connaissaient les fréquentes visites du prince de Hornstedt à la Maison des Abeilles, n'y venaient plus guère que le matin ou tout à fait au début de l'après-midi, sachant que le seigneur de Hoendeck n'arrivait qu'à des heures plus tardives.

Cependant, un jour de très forte chaleur, Mme Oldrecht et Valérie, voulant apporter à Myriam un renseignement qu'elle demandait, s'acheminèrent après cinq heures seulement vers la demeure de Mme Sulzer. Or le prince s'y trouvait précisément. Suivant les instructions de son maître, Mme Sulzer répondit que Mme de Hakenau et Rachel ne pouvaient les recevoir, Son Altesse se trouvant près d'elles.

Mme Oldrecht, dissimulant son étonnement, chargea l'ancienne femme de charge de communiquer à Myriam la réponse qu'elle lui apportait. Puis, après une courte hésitation, elle demanda :

— Ne pensez-vous pas, madame Sulzer, que ces fréquentes visites du prince peuvent compromettre Mme de Hakenau ?

Sèchement, avec une physionomie devenue tout à coup rigide, Mme Sulzer répondit :

— Il m'est impossible, madame, d'interdire l'entrée de cette maison à Son Altesse.

— Mais si vous lui donniez à comprendre le tort qu'il peut causer à cette jeune femme, orpheline et isolée ?... En faisant appel à son honneur, à l'élévation de son caractère...

Mme Sulzer eut une sorte de petit rictus sardonique.

— Non, madame, non, il n'y a rien à dire, rien à essayer. Tant qu'il plaira à Son Altesse de rendre visite à Mme de Hakenau, personne ne pourra l'en empêcher.

Puis, craignant d'en dire trop, elle ajouta :

— Au reste, tout se passe très correctement... et il ne faut pas oublier que le prince est le tuteur de Rachel, qu'il a aussi quelque droit de conseil et de direction à l'égard de Mme de Hakenau, si jeune et sans expérience.

— Oui... Mais ce sont des rapports bien délicats, entre un homme comme lui et cette petite merveille de Myriam !

Et, secouant la tête d'un air soucieux, Mme Oldrecht prit congé de son interlocutrice.

Quand, après le départ du prince, Mme Sulzer fit à Myriam la communication dont l'avait chargée la nièce du docteur, la jeune femme dit avec surprise :

— Comment, ces dames ne sont pas entrées ? Elles étaient donc bien pressées ?

— Non pas... mais Son Altesse était là, et j'ai dû répondre que vous ne pouviez pas recevoir.

— Comment ? Où avez-vous été prendre cela, madame Sulzer ?

— Je l'ai pris, madame, dans les ordres de mon

maître, lequel m'a défendu de recevoir qui que ce
soit pendant qu'il était ici.

Myriam rougit violemment, et ses yeux étincelèrent de fierté indignée.

— Ah ! vraiment ? Le prince de Horsntedt consi-
gne à la porte mes amies ? Il agit ici en maître...
comme si je n'étais pas libre...

Mme Sulzer dit d'un ton lugubre :

— Vous ne le serez que tant qu'il le voudra bien.

Ces mots cinglèrent la fierté de Myriam.

— C'est ce que nous verrons ! Il n'est pas admis-
sible qu'il vienne me régenter ici, après ce qui a
été convenu entre nous. S'il est nécessaire, je le lui
ferai comprendre.

Un éclair de satisfaction passa dans le regard de
son interlocutrice.

— Si vous en avez le courage, vous n'avez pas
tort d'agir ainsi, déclara Mme Sulzer. Car il faut
bien que je vous le dise, madame, les visites de Son
Altesse ici ne passent pas inaperçues, grâce à cette
bavarde de Dorothée, et suscitent des commentaires... désagréables pour vous.

Myriam rougit plus fort, tandit que Mme Sulzer
poursuivait :

— On se doute bien que ce n'est pas pour Rachel
seulement que le prince vient dans cette maison...
Et alors, qu'est-ce qu'on peut penser ? Rien qui
soit agréable pour vous, madame. Mieux vaudrait
donc essayer d'éloigner Son Altesse, de façon discrète, en lui faisant entendre que vous tenez à votre
liberté. Mon cher prince est très autoritaire, et du
moment où il ne vous verra pas disposée à plier,
il se retirera.

En elle-même, Mme Sulzer se félicitait de son
machiavélisme. Mettre en contact la fierté de

LE CANDÉLABRE DU TEMPLE

Myriam et l'orgueil du prince lui apparaissait, en effet, comme le plus sûr moyen d'empêcher cette réunion des deux époux qu'elle redoutait comme une catastrophe. Il lui était insupportable de penser que son maître, celui qu'elle mettait au-dessus de tous les autres mortels, pouvait se laisser fléchir par le charme de Myriam, renoncer à l'ostracisme dédaigneux adopté par lui tout d'abord... Et c'était avec un véritable frisson d'horreur que Mme Sulzer songeait à cette éventualité : la petite-fille du vieil Eliezer amenant, par le pouvoir de sa beauté, le prince de Hornstedt à lui donner en face de tous le nom auquel, en réalité, elle avait droit.

La tactique de la vieille femme devait réussir. Myriam se trouvait profondément froissée par la manière d'agir de Siegbert, et tourmentée à la pensée de ce qu'on pouvait imaginer à son sujet. Elle aurait voulu le faire entendre au prince... mais de quelle manière ?

« Pourtant, il faut qu'il cesse de venir !... ou du moins qu'il espace ses visites ! » songeait-elle fiévreusement.

Mais cette pensée lui donnait une singulière impression d'angoisse, d'émoi douloureux.

La caisse de musique annoncée arriva le lendemain matin, et Myriam se mit aussitôt à ranger les partitions et morceaux dans un des placards du parloir. Elle accomplissait machinalement cette besogne. Son esprit était loin de là... il s'en allait vers ce château de Hoendeck où demeurait celui qui, après tout, était le maître de son destin... car Mme Sulzer avait raison, quand elle lui disait : « Vous ne serez libre que tant qu'il le voudra bien. »

La jeune femme, tout à coup, eut un léger sursaut. La porte du parloir s'ouvrait sous une main ferme, le prince entrait, le visage encore animé par la course qu'il venait de faire à cheval, ainsi qu'en témoignait sa tenue.

— Sulzer a décidément la spécialité des portes ouvertes ! dit-il en se découvrant. Il faudra lui en faire l'observation ; ce n'est aucunement prudent.

Il s'avança vers Myriam, dont le teint s'était vivement coloré, et prit la jolie main délicate qui se tendait vers lui d'un geste machinal. En même temps, son regard, animé d'un intérêt passionné, enveloppait la physionomie quelque peu bouleversée de la jeune femme, qui luttait contre son émoi pour prendre l'air de froideur qu'elle voulait opposer au prince, aujourd'hui plus que jamais, après ce que lui avait appris Mme Sulzer.

— Etes-vous fatiguée ? demanda Siegbert. Vous n'avez pas fort bonne mine, ce matin.

— Fatiguée, non... Je souffre seulement de quelques névralgies, répondit-elle brièvement.

Elle retirait en même temps sa main, que Siegbert retenait dans la sienne.

— Est-ce habituel chez vous ?

— Non, je n'en ai que depuis peu de temps.

— Il faudrait consulter Blück... Peut-être vous fatiguez-vous trop ? Je vois là des broderies qui doivent exiger une somme d'attention excessive pour une personne un peu délicate.

En parlant ainsi, il jetait sa cravache sur un fauteuil et s'approchait de la table sur laquelle étaient étalés des parures de corsage, une nappe d'autel, des objets de layette, ornés des plus exquises broderies.

Myriam avait tout préparé pour l'emballage de ces objets, destinés à la maison qui lui donnait du

travail. Le couvercle du carton était là, bien en
vue, portant cette indication : « Muller-Brenden
— Broderies et dentelles — Vienne... » Et au-dessus se trouvait cette mention : « Envoi de Mme de
Hakenau. »

Le cœur de Myriam se mit à battre plus vite, la
rougeur se fit plus brûlante sur son visage. « Il »
allait voir cela, et demanderait une explication.
Tant mieux, ce serait le prétexte cherché pour lui
faire entendre ce qu'elle voulait.

Mais en même temps, une sensation d'angoisse,
de profonde souffrance envahissait la jeune femme.

Siegbert se pencha vers la nappe d'autel et la
considéra avec attention.

— C'est un travail ravissant ! Je ne doute pas
qu'il soit dû à votre habileté, servie par un sens
artistique vraiment raffiné.

Elle répondit, en essayant de contenir le frémissement de sa voix :

— En effet, Altesse.

— C'est réellement admirable ! Vous avez, décidément, les plus rares talents...

Il s'interrompit. Son regard venait de tomber
sur l'adresse. Se tournant aussitôt vers Myriam, il
rencontra le regard fier et résolu de la jeune femme,
qui se raidissait pour faire face à l'orage prévu.

— Qu'est-ce que cela ?... Imagineriez-vous, par
hasard, de faire du commerce ? demanda-t-il impé-
rativement.

— En effet, je vends ces broderies.

— Dans quel but ?

— J'ai l'intention de subvenir, par mon travail,
à mes besoins et à ceux de ma sœur. Dans quelques
années, j'espère arriver à donner des leçons de
chant et de piano ; je pourrai dès lors prier Votre

Altesse de cesser le versement de ces revenus qu'elle
a cru devoir me servir, mais qui me sont pénibles à
recevoir.

Pendant un moment, Siegbert demeura sans
parole, ses yeux chargés de sourde irritation attachés sur la jeune femme si belle dans sa courageuse
fierté.

— Pourquoi cela vous est-il pénible ?

Le ton bref et dur, fit tressaillir Myriam.

— Parce que vous me les accordez comme une
compensation pour la fortune de ma mère, à laquelle vous m'avez interdit de toucher. Mais cette
fortune, je n'aurais quand même jamais voulu en
user. Quand nous en aurons la libre disposition,
Rachel et moi la distribuerons à des œuvres chari-
tables... Ainsi donc, je n'ai pas à recevoir de
compensation pour un sacrifice que je suis résolue
à accomplir de mon plein gré. Vous m'avez fait
dire autrefois par Mme Sulzer que j'étais libre. Eh
bien, j'use de cette liberté pour arriver à conqué-
rir mon indépendance pécuniaire, que je trouve
indispensable à ma dignité, dans la situation qui
est la mienne.

— Et moi je vous déclare que je ne le permettrai
jamais ! Comment Sulzer s'est-elle prêtée à ce tra-
fic ? Je vais lui défendre de laisser désormais sortir
d'ici quoi que ce soit, pour une destination de ce
genre.

Myriam eut un mouvement d'indignation.

— Vous ne le ferez pas, Altesse ! Ce serait outre-
passer indignement vos droits !

Il fit un pas en avant et dit, avec un accent de
sourde violence :

— Mes droits ? S'il m'a plu de les abandonner

jusqu'ici, vous saurez désormais que **j'entends les** exercer entièrement.

Sans baisser les yeux devant le regard où étincelait une orgueilleuse irritation, Myriam répliqua avec une fermeté hautaine :

— J'ai toujours pensé, Altesse, que celui qui a cru bon d'écarter les devoirs n'avait pas de droits à revendiquer.

Les traits de Siegbert se contractèrent légèrement, tandis qu'une rougeur montait à son teint mat. Reculant de quelques pas, la physionomie tout à coup durcie, il dit avec un accent un peu rauque :

— Vous avez raison, madame. Pardonnez-moi de l'avoir oublié.

Il s'inclina, prit sa cravache et sortit du parloir.

Myriam prêta l'oreille au bruit des pas qui s'éloignaient, des éperons qui résonnaient sur les dalles du vestibule... Puis le galop d'un cheval se fit entendre, et se perdit bientôt dans le lointain.

La jeune femme, pâle et frissonnante, s'affaissa alors dans un fauteuil, se couvrit le visage de ses mains.

— C'est fini ! murmura-t-elle.

Et un grand frémissement de douleur passa dans tout son être.

**

Les jours suivants, Rachel attendit vainement le prince de Hornstedt. Penchée à la fenêtre, elle écoutait si elle n'entendait pas le bruit des sabots de Mahmoud, le magnifique alezan qu'elle admirait tant... Mais Mahmoud n'apparut pas et Rachel, très déçue, se demanda quelle raison empêchait le prince de venir.

— Voyons, que peut-il avoir, **Myriam** ?

— Je l'ignore... Il est sans doute occupé par les
hôtes qu'il attend, répondait Myriam.

La jeune femme n'avait dit mot à sa sœur ni à
Mme Sulzer de la scène qui s'était passée entre elle
et Siegbert. Elle faisait dévier aussitôt que possible
l'entretien, quand Rachel parlait du prince de
Hornstedt et, par un grand effort de volonté, arrivait à dissimuler cette émotion qui l'étreignait dès
qu'elle entendait parler de lui.

Mme Sulzer semblait se rasséréner, à mesure que
les jours s'écoulaient sans que reparût son maître.
Elle témoignait une sollicitude inaccoutumée à Myriam, dont elle remarquait l'air de lassitude, la
pâleur plus grande.

— Vous devriez parler de votre santé au **docteur**
Blück, madame, dit-elle un jour. Vous maigrissez,
vous avez des joues beaucoup trop blanches, et la
marche paraît vous fatiguer.

— Ce ne sera rien du tout, madame Sulzer.
D'ailleurs le bon docteur est malade en ce moment ; je ne voudrais pas aller le déranger sans
réelle nécessité.

Mais les Oldrecht s'apercevaient aussi du changement de Myriam. Mme Oldrecht en parla à son
oncle qui hocha la tête d'un air soucieux.

— Le prince de Hornstedt doit être pour beaucoup dans cela, dit le vieillard. Mais je ne
comprends pas que lui, qui a l'expérience de la vie,
qui est — qui était du moins une âme honnête et
vraiment élevée, compromette ainsi cette toute
jeune femme, ignorante, elle, des pièges et des dan-
gers de ce monde.

— Ne pensez-vous pas que mon devoir serait
d'avertir Mme de Hakenau, mon oncle ?

— Oui, surtout si le prince recommence ses visites fréquentes, auxquelles il semble avoir renoncé depuis quelque temps. Peut-être a-t-il réfléchi, et sa conscience lui a-t-elle indiqué la voie à suivre. Il avait une nature énergique, autrefois... Mais elle est si merveilleusement belle, cette Myriam ! Notre pauvre Luitpold en était bien épris et j'ai presque été satisfait quand ses chefs l'ont rappelé de cette manière inopinée qui nous a paru si étrange.

— Oui, le cher enfant souffre de cette passion qui ne peut être que sans espoir. Mme de Hakenau, par son origine paternelle, est trop au-dessus de nous... et d'autre part notre fils, issu d'honnêtes gens, ne pouvait épouser la petite-fille d'un voleur, qui lui aurait apporté une fortune illégalement acquise.

— Oui, oui, d'aucune façon, cela n'était possible. Loin d'elle, Luitpold se consolera, j'espère... Quant au prince de Hornstedt, il sera maintenant occupé avec ses hôtes, ce qui changera peut-être le cours de ses idées.

On préparait en effet à Hoendeck les appartements pour les invités du prince. Un dimanche, au retour de la messe, Mme Halner s'arrêta un instant à la Maison des Abeilles, en disant qu'elle était très, très pressée...

— La comtesse de Hornstedt est arrivée hier soir, et nous attendons dans quelques jours la princesse Cécile, la veuve du défunt prince Maximilien. La pauvre femme, brisée après tous ses malheurs, comme vous pensez, s'est montrée fort touchée de la délicatesse dont le nouveau prince faisait preuve à son égard et lui a voué une grande affection. Elle a refusé de rester à Gœlbrunn, comme il l'en priait, mais elle le voit souvent à Vienne, où elle

habite l'hiver... Et cette année, elle vient passer
quelque temps à Hoendeck. Une bien aimable personne !... Nous aurons aussi le comte Athory, cousin préféré de Son Altesse, et sa jeune femme, une
charmante Française... Puis le comte Marklein, un
jeune lieutenant de lanciers qui est gai comme pas
un... S'il pouvait donc arriver à changer l'humeur
de notre prince ! Celui-ci a son air sombre des plus
mauvais jours, tante Martha !... Pourtant, que
peut-il bien lui manquer ? On dit que la jeune
archiduchesse Maria-Clara ne rêve que de lui, et
que l'empereur serait tout disposé à favoriser ce
mariage. Pour le coup, je crois qu'il n'aurait plus
rien à désirer !

Connaissant l'idolâtrie de la tante pour le jeune
seigneur, Mme Halner s'attendait à une explosion
d'allégresse. Mais à sa profonde surprise, elle vit
la physionomie de Mme Sulzer se renfrogner, tandis
que la vieille femme marmottait en levant les
épaules :

— Ah ! bien oui !... l'archiduchesse ou une
autre !

Cette conversation avait lieu dans la salle à
manger, qui communiquait avec le parloir. Après
le départ de sa nièce, Mme Sulzer traversa cette
pièce et jeta au passage un regard noir sur Myriam,
occupée à broder.

La jeune femme n'avait pas perdu un mot des
paroles de Mme Halner... Et elle songeait avec une
douloureuse amertume : « Quel obstacle je suis
pour lui ! »

Oui, un obstacle qu'il devait détester. Pendant
quelque temps, il avait sans doute cédé à la compassion que lui inspiraient l'isolement, la jeunesse de
Myriam. Mais sa nature orgueilleuse avait repris le

dessus et il s'applaudissait aujourd'hui, certainement, d'avoir rompu les relations avec cette jeune femme qui représentait pour lui une si lourde entrave.

Des larmes montèrent aux yeux de Myriam, tandis qu'elle songeait douloureusement :

« Mon Dieu, si ma petite Rachel n'avait pas besoin de moi, je vous bénirais de m'envoyer la mort, afin qu'il devienne libre et puisse être heureux. »

V

La comtesse Sophie, au lendemain de son arrivée à Hoendeck, trouva dans son courrier une lettre de sa filleule dont la lecture lui fit faire tout d'abord une légère grimace.

— Hum ! C'est un peu délicat ! murmura-t-elle en repliant machinalement la feuille parfumée. Pourtant, cela peut réussir. On ne sait jamais, avec les hommes... Et la chère enfant est si habile ! Mais oserai-je en parler à Siegbert ?... surtout dans la disposition d'esprit qui paraît la sienne en ce moment ?

Fort perplexe, Mme de Hornstedt descendit dans l'espoir de rencontrer son neveu et de juger d'après sa physionomie s'il était d'humeur à accueillir, sans trop de mécontentement, la requête dont Carolia la chargeait de se faire l'intermédiaire près de lui.

Le hasard la servit favorablement. Siegbert se trouvait sur la terrasse, occupé à indiquer au forestier-chef les coupes à faire parmi les arbres proches du château, qui communiquaient une trop grande humidité à l'habitation.

— Vous partez en promenade, ma tante ? demanda-t-il distraitement.

— Non, mon cher enfant, je te cherchais... pour te demander quelque chose...

Son air embarrassé n'échappa point au prince.

— Voulez-vous m'accorder deux minutes, et je suis à vous ?... C'est donc convenu, Marshall, vous allez faire marquer les arbres indiqués et l'abatage sera commencé dès cette semaine. M'avez-vous apporté les notes relatives à Léopold Gloster ?

— Oui, Votre Altesse, les voici...

Siegbert prit les papiers que lui tendait le forestier-chef et les parcourut du regard.

— Vous insistez beaucoup sur sa mauvaise santé. L'empêche-t-elle vraiment de faire son service ?

— Souvent, du moins, Altesse. Il me paraît indispensable de lui donner un remplaçant...

Un geste du prince l'interrompit.

— De cela, il ne saurait être question. Gloster conservera son emploi, mais vous lui donnerez tous les congés nécessaires. De plus, en raison de ses charges de famille, je double ses appointements. Un garde supplémentaire assurera le service jusqu'à ce que sa santé lui permette de le reprendre... Au reste, dites-vous bien, Marshall, que cet homme sera toujours de ma part l'objet d'une bienveillance particulière, et qu'entre vous et lui, s'il survenait des ennuis, je n'hésiterais pas à choisir.

Le forestier-chef devint écarlate, en balbutiant :

— Mais vraiment, il n'y a rien... Votre Altesse peut être certaine...

Qui donc avait pu renseigner le maître sur les petites persécutions qu'il faisait subir à Gloster, dont il voulait la place pour un de ses protégés ? Quelle puissante influence avait agi en faveur du garde près du prince, qui ne s'occupait jamais de ces détails ?

Congédiant du geste Marshall ahuri, Siegbert se tourna vers la comtesse qui attendait un peu plus loin, très satisfaite de constater que son neveu avait la physionomie moins sombre en ce moment.

— Je suis à votre disposition, ma tante. De quoi s'agit-il ?

— Je viens de recevoir une lettre de la comtesse de Sargen... Elle est revenue de Biarritz et passe quelques jours à Rennbrau, chez les Goviez... Si près de Hoendeck, elle souhaiterait revoir la vieille demeure tant aimée d'elle autrefois...

— Hé ! hé ! murmura ironiquement Siegbert, dont un éclair sarcastique traversait le regard.

Mme de Hornstedt poursuivit, en baissant un peu les yeux et en froissant fébrilement la lettre qu'elle avait sortie de sa poche :

— Elle n'ose cependant venir sans invitation. Elle craint que... que...

— Que je la mette à la porte ? Je ne serais pas capable de cette incivilité, croyez-le.

La comtesse, gênée par l'air narquois de son neveu, balbutia :

— Oh ! Siegbert ! Nous savons... je sais bien que tu es trop gentilhomme pour... Non, non, Carolia ne redoute pas cela... mais seulement de te déplaire...

— Me déplaire ? Oh ! je vous avoue que sa présence me sera parfaitement indifférente. Si cela vous fait plaisir, vous pouvez lui répondre que vous l'attendez... vous, pas moi, ne confondons pas, surtout !

La comtesse le remercia d'un air enchanté. Cet acquiescement, en dépit du ton de Siegbert, lui semblait de bon augure. Puis, ici, les anciens souvenirs revivraient mieux, Siegbert se laisserait peut-être plus facilement toucher par les regrets de son amie d'enfance, par cet amour si vif qu'elle avait avoué à sa chère marraine.

« Il y a vraiment quelque mérite de ma part à

aider ainsi cette pauvre enfant, se disait Mme de Hornstedt avec complaisance. Car, enfin, mon neveu pourrait faire un mariage autrement brillant ! Mais je viens d'apprendre qu'il a décliné les offres impériales au sujet de l'archiduchesse. Refus incompréhensible et fou !... Alors, j'aime autant que ce soit ma filleule plutôt qu'une autre qui devienne princesse de Hornstedt. »

La bonne dame n'aurait plus conservé cet espoir, s'il lui avait été donné de connaître en ce moment les pensées de Siegbert. Tandis qu'il regagnait ses appartements, il songeait avec une satisfaction railleuse :

« Ah ! elle veut revoir Hoendeck, cette belle comtesse ! Qu'elle vienne !... qu'elle vienne donc ! Je lui montrerai — puisqu'elle s'obstine à ne pas le comprendre — que l'ancien Siegbert est bien mort, et profondément enterré... qu'il ne reste qu'un homme professant pour les ambitieuses et les lâches coquettes de son espèce le plus intense mépris ! »

Sur son bureau, dans son cabinet de travail, se trouvait une enveloppe scellée aux armes impériales. C'était une lettre autographe du souverain, comme celui-ci en adressait assez fréquemment au prince de Hornstedt... En la regardant, Siegbert eut un sourire de plus vive ironie. Il pensait aux regrets affolés de Carolia... il s'imaginait les combinaisons de cet esprit ambitieux et faux pour reconquérir l'homme autrefois dédaigné, devenu le favori de l'empereur, possesseur de biens immenses, disposant d'une influence due autant à ses rares qualités personnelles qu'à son rang élevé... Oui, elle avait dû plus d'une fois pleurer de rage et de désespoir, la blonde Carolia.

En levant les épaules, Siegbert songea avec mépris :

« Elle est comme bien d'autres. La ruse, la comédie, voilà leurs armes... Pourtant, j'en connais une
qui est toute franchise, toute lumière. L'ambition
ni la coquetterie n'ont pas de place dans son âme,
je l'affirmerais... Myriam... ma pure et incomparable Myriam ! »

Il se mit à marcher de long en large, nerveusement, à travers son cabinet. Depuis la scène avec
Myriam, il avait essayé de combattre l'amour ins-
piré par cette jeune femme qui avait si fortement
froissé en lui un orgueil jusqu'alors indomptable.
Il se traitait de fou, pour avoir imaginé de renoncer
à la ligne de conduite prise au moment du mariage.
Myriam, ce rejeton du comte Würmstein et de
Salomé Onhacz, devait continuer à vivre dans la
solitude, dans l'obscurité. Là s'écoulerait sa jeunesse, là se fanerait sa beauté... Lui, pendant ce
temps, mènerait son existence brillante en apparence, morne et douloureuse en réalité — cent fois
plus douloureuse maintenant qu'il avait connu la
femme idéale, qu'il l'avait aimée avec toute la chaleur d'un cœur ardent, exclusif, qui jusqu'alors ne
s'était pas donné.

Mais plus il s'efforçait d'écarter le souvenir de
Myriam, plus ce souvenir s'imposait à lui, délicieux
et troublant. La fière attitude de la jeune femme,
cette énergie morale qui existait chez elle, unie à
tant d'exquise douceur, augmentaient chez lui l'estime qu'elle lui inspirait déjà — et aussi donnaient
une force plus irrésistible à sa passion. Pour avoir
résisté à des prétentions qu'elle jugeait injustes,
pour lui avoir répondu avec tant de noble dignité,
sans souci d'une irritation qui aurait fait courber

tant d'autres fronts, Myriam lui devenait encore
plus chère... Et de nouveau il songeait à la revoir,
à solliciter son pardon — lui, l'orgueilleux Hornstedt — à lui dire qu'il ne pouvait vivre sans elle...

Mais maintenant qu'il la connaissait mieux, Siegbert se demandait avec perplexité si elle accepterait
la situation ambiguë qu'il voulait lui faire.

Et lui-même, dont l'amour se mêlait de fervent
respect pour cette âme délicate et fière, envisageait
aujourd'hui avec une sorte de répugnance la solution à laquelle il s'était arrêté.

Eh bien, alors, il ne restait qu'un moyen : faire
connaître à tous Myriam sous le nom de princesse
de Hornstedt.

Cette idée soulevait encore chez Siegbert une vive
protestation... Non, non, il ne pouvait aller jusque-
là ! Myriam le comprendrait et accepterait de lui
faire ce sacrifice.

Oui, peut-être... si elle l'aimait.

Cet amour, il avait cru le voir parfois dans les
yeux admirables au regard si expressif. Mais la
froideur habituelle de la jeune femme, à son égard,
le laissait perplexe. Depuis surtout leur dernière
entrevue, il craignait qu'elle lui en voulût beaucoup, ainsi que le laissaient supposer quelques-unes
des paroles prononcées par elle. Ah ! c'est qu'elle
n'était pas une femme ordinaire, cette Myriam...
une femme que l'on prend avec l'appât du luxe,
des plaisirs, de l'orgueil d'être distinguée par l'un
des hommes les plus recherchés, les plus adulés de
l'Europe. Non, elle n'avait jamais témoigné qu'elle
s'aperçût de l'admiration passionnée dont elle était
l'objet, sinon pour en paraître gênée... Fallait-il
en conclure qu'elle n'éprouvait pour lui qu'indifférence, et peut-être qu'antipathie ?

Ah ! il le saurait !... il fallait qu'il le sût ! Aujourd'hui même, il retournerait vers elle. Aussi bien avait-il la nostalgie de son regard, de son sourire, de sa voix... Près d'elle, il se sentait devenir meilleur, il retrouvait son cœur généreux et vibrant d'autrefois, que le scepticisme avait glacé — seulement à la surface, grâce au ciel ! Oui, Myriam le reverrait, non plus en maître qui prétend imposer sa volonté, mais en homme qui reconnaît ses torts et veut les réparer, de tout son pouvoir.

*
* *

Une heure plus tard, Dorothée, la servante de Mme Sulzer, introduisait le prince dans le parloir, où Rachel se trouvait seule.

La fillette l'accueillit par un cri de joie :

— Ah ! je croyais que vous ne reviendriez jamais !

— J'ai été occupé, ma petite Rachel. Mais vous voyez, me voilà... Comment allez-vous, ma mignonne ?

— Un peu mieux, Altesse. Mais je m'ennuyais bien de ne pas vous voir ! ajouta-t-elle câlinement.

— Pauvre Rachel ! dit-il en caressant la joue de l'enfant. J'espère, ma chérie, ne plus rester si longtemps sans venir vous faire une petite visite... Mais votre grande sœur serait-elle sortie ?

— Non, pas du tout ; elle est au jardin, où elle cueille des fleurs pour l'église. Je vais dire à Dorothée de la prévenir...

— Non, non, j'y vais moi-même. A tout à l'heure, Rachel !

Il ouvrit la porte-fenêtre et s'éloigna d'un pas rapide, le long des allées étroites, bordées de plates-bandes garnies de fleurs, parmi lesquelles domi-

naient les préférées des abeilles, Mme Sulzer ayant,
depuis deux ans, rétabli les ruches autrefois exis-
tantes au fond de l'enclos.

C'était un vieux jardin avec une charmille, des
bordures de buis, des poiriers en quenouilles. L'air,
très chaud cet après-midi, était embaumé des parfums pénétrants qui s'échappaient des corolles
autour desquelles bourdonnaient les diligentes
abeilles.

Siegbert s'arrêta tout à coup. L'étroite allée
tournait, conduisant à une petite roseraie. Myriam
se trouvait là, debout, un peu penchée, promenant
son sécateur à travers les fleurs. Elle était vêtue
d'une robe de batiste mauve, très simple, mais qui
semblait encore augmenter sa beauté. Sur sa nuque,
découverte par le col un peu échancré, tombait en
souples torsades la chevelure aux tons d'or roux,
sur laquelle le soleil mettait en ce moment de merveilleux reflets. Elle paraissait ainsi plus jeune
encore, plus ravissante, et Siegbert ébloui s'oubliait
à la contempler...

Mais elle tourna la tête et l'aperçut. Sur ses
lèvres une exclamation mourut ; son teint s'empourpra, et la petite corbeille pleine de fleurs
qu'elle tenait à la main glissa à terre.

En quelques pas, il fut près d'elle.

— Pardonnez-moi ! Vous ai-je fait peur ?

Il s'interrompit, en voyant des larmes dans les
yeux qui se levaient sur lui.

— Qu'avez-vous ? Pourquoi pleurez-vous ?

Il prenait la main tremblante, en attachant sur
la jeune femme un regard anxieux.

— Je pensais à mes pauvres amis Oldrecht et au
bon docteur Blück, qui sont si malheureux !

— Que leur est-il donc arrivé ?

— Le fiancé de Valérie, un excellent et très honnête garçon, s'est trouvé compromis dans une affaire de malversations dont il ignorait pourtant le premier mot. Un de ses chefs, qui le déteste, le charge autant qu'il peut. C'est un homme qui possède de belles relations et a toujours fait son possible pour nuire au pauvre Ludwig Marlbach. Celui-ci est coupable seulement d'une imprudence, ainsi qu'il ressort des renseignements qu'a pu se procurer le docteur Blück.

— Mais il doit pouvoir le prouver ?

— Il l'essaye, mais il lui est difficile de lutter contre l'acharnement de son accusateur... Mes pauvres amis sont bien inquiets, et c'est en pensant au chagrin de Valérie que je pleurais tout à l'heure.

De nouveau, ses yeux se remplissaient de larmes.

Siegbert se pencha vers elle, en disant avec émotion :

— Ne pleurez plus, Myriam ! Je vais m'occuper de cette affaire, et si ce jeune homme est innocent, comme je me plais à le croire, il sortira indemne de cette vilaine passe.

Un regard rayonnant se leva sur lui.

— Vous feriez cela ? Quel bonheur ! En ce cas, M. Marlbach sera certainement sauvé !... Combien je vous remercie !

D'un geste spontané, elle tendit la main à Siegbert. Il s'inclina et appuya longuement ses lèvres sur les doigts délicats.

— N'auriez-vous pas osé me le demander, Myriam ?

Il se redressait, en couvrant d'un regard passionné le beau visage bouleversé par une vive émotion.

Elle murmura, en baissant un peu ses yeux, troublés par ce regard :

— Non... car on m'avait dit que vous n'acceptiez jamais de vous occuper de ces choses...

— En effet. Mais je le ferai pour vous... et un peu aussi pour ce bon Blück. J'ai appris hier qu'il était malade. Il n'y a rien de grave, je pense ?

— Non, et il va heureusement mieux.

— J'irai le voir ces jours-ci... ou plutôt aujourd'hui même, pour lui apprendre que son futur neveu n'a plus rien à craindre, s'il est vraiment innocent de ce dont on l'accuse... Et maintenant que vous voilà consolée, venons à l'objet de ma visite. La dernière fois que je vous ai vue, Myriam, j'ai été dur et violent. Je vous en ai ensuite beaucoup voulu de votre résistance à ma volonté, de vos paroles si fières... et si justes.

Toute rougissante, elle murmura :

— Moi aussi, je n'ai peut-être pas assez mesuré ces paroles...

— Non, non, vous aviez raison ! Votre bonté vous porte à chercher des excuses en vous accusant vous-même ! dit-il avec un sourire attendri. Mais je reconnais qu'en la circonstance je n'avais pas le droit d'ordonner. Il me restait la ressource de la prière...

Elle crut qu'il voulait encore lui demander de renoncer à ses projets de travail... Et comme elle se sentait frémissante sous la lueur de ces prunelles bleues si charmeuses, si caressantes aujourd'hui, elle eut peur de faiblir et se raidit en une attitude de froide fermeté, en disant vivement :

— Non, c'est impossible ! Votre Altesse devrait comprendre...

Il l'interrompit avec impatience :

— Je vous en supplie, pas de ces appellations cérémonieuses quand nous sommes seuls ! Nommez-moi Siegbert et réservez le reste pour les occasions où nous nous trouverions en présence d'étrangers.

Elle répliqua froidement, avec un fier regard :

— Comme j'ai peu de dispositions pour la comédie, j'aurais trop peur, en ce cas, d'oublier mon rôle.

Siegbert tressaillit, et sa main se posa, un peu dure, sur le poignet de la jeune femme.

— Avez-vous juré de m'exaspérer ? Que vous faut-il donc ? Que demandez-vous ?

Une stupéfaction mêlée de quelque effroi apparut sur la physionomie de la jeune femme.

— Mais je ne demande rien ! balbutia-t-elle.

Puis, se reprenant aussitôt, elle ajouta, avec une soudaine résolution :

— Si, Altesse, j'ai une requête à vous adresser. Voici longtemps déjà que je désirais être renseignée à ce sujet. Pourquoi donc mon père et le vôtre nous ont-il imposé ce mariage ?

Déjà le mouvement de colère était tombé chez Siegbert. Sa main, sans quitter le poignet de Myriam, se fit tout à coup très douce, presque caressante.

— Pardonnez-moi encore ! Mais je n'ai pas coutume d'être contredit, j'ignore ce que c'est que de recevoir un blâme ou un reproche... Pour répondre à votre question, je vais vous redire ce que m'apprit mon père mourant...

Myriam, les yeux machinalement attachés sur la corbeille qui gisait toujours à terre, écouta sans mot dire le récit de Siegbert. Quand il eut fini

elle dit avec un visible frémissement, sans lever les
yeux :

— Oui, c'était affreux pour vous !

Sa main se trouva tout à coup emprisonnée dans
celles de Siegbert, une voix ardente dit avec chaleur :

— Parce que je ne vous connaissais pas,
Myriam ! Mais aujourd'hui, il n'en est plus ainsi !

D'un mouvement vif, elle dégagea sa main et,
reculant de plusieurs pas, très pâle, les yeux étincelants de fierté, en même temps que d'une sorte
de défi, elle demanda :

— Pourquoi n'en serait-il plus ainsi, Altesse ?
Aujourd'hui comme autrefois, je suis toujours la
petite-fille d'Eliezer Onhacz, ne l'oubliez pas !

Lui aussi pâlit... et, sans en avoir conscience, il
fit, comme elle, quelques pas en arrière.

Les beaux yeux noirs qui le regardaient se cou-
vrirent d'une ombre douloureuse, la bouche frémissante eut une sorte de sourire amer, d'une poignante mélancolie...

A cet instant, Siegbert laissa échapper un brusque mouvement de colère, et ses sourcils se fron-
cèrent violemment.

— Eh bien, que vous prend-il, Sulzer ?

Mme Sulzer, la mine inquiète et agitée, apparaissait au tournant d'une allée. Elle s'arrêta, cra-
moisie et toute tremblante, clouée au sol par la
dure apostrophe de son maître.

— ... Que venez-vous faire ici ?

— Je venais... aider Mme de Hakenau... voir si...

— Mme de Hakenau n'a aucun besoin de vous,
du moment où je suis là. Vous ferez bien, une autre
fois, d'agir plus discrètement et de ne pas oublier
à qui vous avez affaire.

Les mots tombaient, coupants et brefs, des lèvres
de Siegbert... Et sous le regard irrité de son maître,
l'ancienne femme de charge semblait littéralement
assommée.

— Il ne faut pas lui en vouloir ; elle ne savait
sans doute pas que Votre Altesse était là, dit une
voix douce et apitoyée.

La physionomie de Siegbert s'adoucit quelque
peu, à cette intervention de Myriam.

— Soit, admettons-le !... Ne faites pas cette tête
lamentable, Sulzer, et retournez à vos affaires.

Un geste de la main appuyait ce congé en bonne
et due forme. Mme Sulzer s'inclina profondément
et s'éloigna d'un pas précipité.

Myriam se pencha pour ramasser les roses
éparses à terre. Mais la main de Siegbert se posa
sur son bras.

— Laissez, je me charge de cela.

Pendant qu'il s'acquittait de la besogne, Myriam,
machinalement, cueillait quelques fleurs... Elle le
vit tout à coup près d'elle, la corbeille de nouveau
remplie à la main.

— Voilà réparé le petit malheur causé par mon
arrivée impromptue. Désirez-vous que j'en cueille
d'autres ?

— Il ne me faut plus que quelques roses...

— Donnez-moi votre sécateur et dites-moi celles
qui vous plaisent... Tenez, cette blanche nacrée...

Prestement, le sécateur tranchait la tige de la
fleur indiquée.

Myriam dit vivement :

— Oh ! pas celle-là ! Mme Sulzer ne veut pas
qu'on cueille ces roses auxquelles elle tient beaucoup.

— Elle ne veut pas ? Se permettrait-elle, par
hasard, de vous refuser quelque chose ?

— Je m'en abstiens de moi-même, sachant que je lui causerais un déplaisir.

Il sourit, avec une ironie légère, tandis que son regard s'éclairait de cette flamme ardente qui émouvait et troublait si profondément Myriam.

— Vous lui direz que celle-ci a été cueillie par moi, elle sera consolée tout de suite... Et vous lui direz qu'elle l'a été pour vous.

Avant que Myriam pût faire un mouvement, il glissait dans sa ceinture la tige de la rose. Puis, soulevant son chapeau, il s'éloigna rapidement.

... Dans la soirée de ce même jour, la famille Oldrecht reçut la visite du prince de Hornstedt. Il se montra aimable pour tous, témoigna une particulière cordialité au bon docteur Blück et apprit à Valérie qu'ayant connu par Mme de Hakenau les ennuis de son fiancé, il allait s'occuper de cette affaire et prendre en main la cause de Ludwig.

— Ne vous tourmentez donc plus, mademoiselle, ajouta-t-il, en s'adressant à la jeune fille stupéfaite et tremblante de joie. Cette désagréable histoire va se régler au mieux pour votre fiancé, j'en suis persuadé.

Quand, un peu plus tard, les jeunes filles rentrées dans leur chambre, le docteur se trouva seul avec sa nièce, il dit d'un air soucieux :

— Le prince a donc revu Mme de Hakenau ? Je voulais espérer qu'il avait eu la sagesse de s'éloigner... mais, hélas ! je craignais bien au fond que le charme fût trop fort.

Mme Oldrecht, en hochant la tête, déclara :

— Je crois qu'il faudra que j'avertisse un de ces jours cette pauvre jeune femme. C'est un devoir pour moi, étant donné son âge et son inexpérience.

Sur la route de Gleitz à Hoendeck, le prince,

absorbé dans une profonde songerie, laissait aller
ses chevaux presque à leur gré. Le valet de pied
qui l'accompagnait dit ce soir-là aux gens de
l'office :

— Son Altesse avait l'air bien distrait, aujour-
d'hui. Heureusement que les bêtes connaissaient la
route... Mais il y a un passage près des carrières
où je n'aurais pas été tranquille, si je ne savais
combien, en toutes circonstances, notre prince reste
homme de sang-froid, quelles que puissent être ses
préoccupations.

Claudia, la femme de chambre de la comtesse
Sophie, sourit d'un air entendu.

— Il est facile de deviner le motif de sa distraction. Notre puissant seigneur rêvait à de beaux
yeux... Oh ! de très beaux yeux, on ne peut dire
le contraire !

Le valet chuchota :

— Cette jeune femme qui habite près du parc ?
Je l'ai aperçue l'autre jour. Oui, elle est merveilleusement belle ! Et vous croyez que le prince ?...

Murken, le valet de chambre que la faveur de
son maître investissait d'une grande autorité sur
le personnel domestique, interrompit d'un ton
péremptoire :

— Vous n'avez pas à vous occuper de ce que
peut penser ou faire Son Altesse. N'oubliez pas,
vous tous, que le prince a horreur des bavards, et
que s'il t'avait entendu tout à l'heure, Klaus, ton
compte aurait été vite réglé.

Klaus baissa le nez, sans répliquer, tandis que
Claudia ripostait, avec un clignement d'yeux plein
de malice :

— Oh ! vous, Murken, vous voudriez que tout
le monde fût aussi discret que vous !

VI

Mme de Hornstedt n'avait pas perdu de temps pour répondre à Carolia, et celle-ci devait se trouver toute prête au départ, car on la vit arriver quelques jours plus tard, en même temps que la princesse Cécile de Hornstedt.

La réception affectueusement empressée faite par Siegbert à cette dernière fit mieux ressortir l'indifférence avec laquelle il reçut son amie d'enfance. Très nettement, sous son impeccable politesse d'homme bien élevé, il sut lui faire comprendre qu'elle était l'invitée de sa tante, non la sienne... Aussi Carolia, en se retrouvant seule avec la comtesse Sophie, se jeta-t-elle à son cou en gémissant :

— Il ne veut pas oublier ! Ah ! chère marraine, que je suis malheureuse !

— Ne te désole pas, ma belle chérie ! Un homme de ce caractère ne peut céder tout de suite, comprends-le bien ; il te faudra beaucoup de souplesse, de douceur, d'humilité, pour arriver à te faire pardonner. Mais tu finiras par vaincre, chère enfant ; tu seras princesse de Hornstedt.

— Ah ! puissiez-vous dire vrai ! murmura Carolia dont les yeux étincelèrent.

L'enivrante perspective ! Toutes les satisfactions de luxe et d'orgueil que peut souhaiter une femme se trouveraient comblées par ce mariage... Et cette fois, l'ambition serait pleinement d'accord avec le cœur. Plus Siegbert lui témoignait de froideur, plus Carolia sentait augmenter la passion qu'il lui inspirait. Oui, vraiment, elle serait la plus heureuse des créatures, le jour où il lui dirait : « Je vous pardonne... et je vous aime comme autrefois, Carolia. »

Tout à son rêve éblouissant, Mme de Sargen choisit avec soin la toilette qu'elle devait revêtir pour le dîner. Siegbert avait un goût très sûr, très affiné, qu'il ne fallait pas risquer de heurter... Quand elle se vit dans sa vaporeuse robe blanche garnie de dentelles, la belle comtesse eut un sourire de satisfaction. Quelque difficile que fût le prince de Hornstedt, il ne pouvait manquer de trouver que son amie d'enfance était après tout une bien jolie personne.

Comme Carolia, une fois ce jugement flatteur porté sur elle-même, attachait à ses poignets de riches bracelets, cadeaux du défunt prince de Storberg, Mme de Hornstedt entra, rouge et visiblement agitée.

— Que vous arrive-t-il, ma chère marraine ? demanda Carolia.

D'un coup d'œil, la comtesse désigna la femme de chambre.

— Je n'ai plus besoin de vous, Mariechen, dit Mme de Sargen. Tout à l'heure, vous viendrez ranger ici.

Puis, la servante disparue, elle vint s'asseoir près de la comtesse, qui s'était écroulée dans un fauteuil.

— Voyons, qu'y a-t-il ?

— Claudia vient de m'apprendre des nouvelles ! Te rappelles-tu ces petites filles dont mon beau-frère s'était imaginé de prendre la tutelle, peu de temps avant sa mort ?

— Les petites Würmstein ?... les petites-filles de cet affreux usurier ?...

— C'est cela ! Après la mort de son père, Siegbert, repoussant loin de lui une telle tutelle, la confia à Glotz. Or, il paraît qu'il a imaginé cette année de la reprendre — celle de la plus jeune, du moins, car l'autre a été mariée et est veuve. On ne sait même pas, entre parenthèses, ce qu'était ce M. de Hakenau — c'est le nom que porte cette jeune femme — ni où et comment s'est fait le mariage. Les deux sœurs vivent chez Sulzer... Et depuis qu'il est ici, Siegbert se rend très fréquemment à la Maison des Abeilles.

— Comment est-elle ? demanda Carolia, dont le teint frais se couvrait de pâleur.

— Claudia assure qu'il est impossible de rêver beauté plus admirable ! murmura Mme de Hornstedt avec un accent désespéré.

Une lueur de colère jalouse traversa les yeux de Carolia. Mais presque aussitôt elle redressa la tête en disant résolument :

— Je me sens de taille à lutter contre n'importe qui !... en admettant que Sieg... que le prince de Hornstedt ait conçu quelque inclination pour cette petite-fille de voleur, ce qui n'est aucunement prouvé.

— Cependant, cette idée de se faire le tuteur de la petite...

— Une fantaisie quelconque... Il faudrait tâcher d'interroger Sulzer, marraine. Personne mieux qu'elle ne doit être au courant.

— Sulzer ne dit jamais que ce qu'elle veut bien ; il ne faut guère compter sur elle, mon enfant.

— Nous verrons... En tout cas, je vais tâcher d'apercevoir cette jeune femme, pour juger si

Claudia n'a pas exagéré. Demain, à la messe, peut-être...

Mais Mme de Sargen, à l'entrée et à la sortie de la grand'messe, chercha en vain sa rivale présumée. Myriam avait coutume d'assister pendant l'été à la première messe, et ce n'était pas aujourd'hui qu'elle aurait changé ses habitudes, sachant que les hôtes de Hoendeck viendraient à la seconde, le prince, vu la brièveté de son séjour au vieux château, n'ayant pas jugé utile d'y faire venir un chapelain.

Mais Rachel se trouvait là, avec Mme Sulzer, et l'on remarqua le signe affectueusement amical adressé par Siegbert à la petite fille qui s'en allait entre Valérie et Aennechen vers la demeure du docteur Blück.

Carolia demanda, en s'adressant au prince :

— Ne serait-ce pas là cette petite Würmstein que nous rencontrâmes jadis avec sa sœur ?

Siegbert, debout près du phaéton dans lequel il avait amené une partie de ses hôtes, causait avec le comte Athory et sa femme, arrivés la veille dans la soirée en même temps que le comte Marklein, fringant officier de lanciers, dont la nature franche et gaie avait l'heur de plaire au prince de Hornstedt. Celui-ci, à la question de Carolia, répondit laconiquement :

— C'est bien elle, en effet.

— Il me semblait la reconnaître... Toujours contrefaite, pauvre petite ! Et sa sœur ?

Le prince riposta tranquillement :

— Oh ! sa sœur n'est pas contrefaite du tout.

— Je m'en doute !

A peine la réplique était-elle lancée, que Carolia aurait donné tout au monde pour pouvoir la reprendre. Car un regard surpris et railleur se fixait sur elle, tandis que Siegbert demandait avec un léger accent de sarcasme :

— Pourquoi vous en doutez-vous, madame ?

— Mais... elle n'avait rien qui annonçât, autrefois... et elle a dû devenir fort jolie...

Comme s'il n'avait pas entendu, Siegbert se tournait vers la princesse Cécile qui se trouvait à quelques pas de là, près de Mme de Hornstedt.

— Je vous emmène dans ma voiture, n'est-ce pas, ma cousine ? Il faut que je vous fasse faire connaissance, dès ce matin, avec mon vieux parc.

— Mais bien volontiers, mon cher Siegbert, répondit-elle avec un sourire qui enleva pour un instant à son doux visage flétri l'habituelle expression mélancolique.

— Et vous, Gabrielle, êtes-vous des nôtres ? demanda Siegbert, en s'adressant à la comtesse Athory occupée à examiner la façade ancienne de l'église.

— Certes ! Ce doit être délicieux, une promenade en voiture dans ce parc... Venez-vous aussi, Mathias ?

— Ma chère amie, je m'excuse pour ce matin. Nous devons, Marklein et moi, monter jusqu'aux ruines pour voir le point de vue.

— Liberté complète ! déclara le prince. Ici nous faisons fi de l'étiquette. Naturellement, vous ne quittez pas votre marraine, madame ?

Avant que Carolia eût pu répondre, Mme de Hornstedt protestait vivement :

— Oh ! il n'est pas du tout nécessaire qu'elle se prive pour moi d'une distraction ! J'en serais trop fâchée, vraiment !

— Mais puisqu'elle vient ici pour vous, nous ne

voudrions pas vous empêcher de jouir de sa présence le plus possible... N'est-il pas vrai, madame ?

Quelle ironie dans le regard qu'il dirigeait vers la jeune veuve !

Un frémissement d'impuissante colère agita Carolia, tandis qu'avec un doux sourire elle répondait gracieusement :

— Certes, il me serait pénible de perdre quelques-uns des instants trop courts que je passe près de ma chère marraine !

Cependant, quand l'élégant équipage conduit par Siegbert se fut éloigné, quand la calèche attelée de paisibles bêtes se fut engagée à son tour sur une route déserte de la forêt, Carolia ne cacha pas à Mᵐᵉ de Hornstedt sa très vive angoisse.

— Vous voyez comme il me traite ! Et hier soir, il ne m'a pas adressé trois fois la parole !

La comtesse Sophie essaya de la consoler. Mais au fond d'elle-même, elle n'était pas sans inquiétude sur l'issue des tentatives matrimoniales de sa filleule.

Quand Siegbert et ses compagnes revinrent de leur promenade, ils virent sur la grande terrasse du château un fort aimable tableau. Mᵐᵉ de Hornstedt, étendue béatement dans un fauteuil, écoutait la lecture que lui faisait Carolia, toute fraîche dans une coquette toilette rose.

— J'ai fait avec grand plaisir la connaissance d'une partie de ce parc superbe, chère comtesse, dit la princesse Cécile, en s'asseyant près de Mᵐᵉ de Hornstedt. Vraiment, je comprends que mon jeune cousin aime cette résidence, en dépit de son aspect austère... Cependant vous l'aviez délaissée pendant plusieurs années, Siegbert ?

— Oui, je m'en étais quelque peu désintéressé.
Mais pendant le court séjour que j'ai fait ici au
début de mars, cette année, le charme de ma vieille
forêt m'a repris, et l'enchanteresse m'a irrésistible-
ment attiré, cet été, à l'ombre de ses belles futaies.

Il souriait — d'un sourire énigmatique, parut-il
à Carolia qui sentit un frisson d'inquiétude courir
sous son épiderme.

— Mais elle ne va pas garder à jamais Votre
Altesse, cette chère forêt ?

La question était faite par Mme de Sargen, du
ton gracieusement déférent qu'elle prenait toujours
en s'adressant à Siegbert.

Il riposta, avec un accent de gaieté moqueuse :

— Qui sait ! Elle me tient, elle ne me lâchera
pas !

— Et que dirait Sa Majesté ? s'écria la comtesse
Athory. Notre souverain ne permettrait certainement pas une pareille retraite de celui qui a toute
sa confiance.

— Vous oubliez, ma chère cousine, que je suis
l'indépendance personnifiée, et que tous les désirs,
tous les ordres impériaux eux-mêmes n'auraient
pas raison d'une résolution bien fermement prise
par moi.

— Oh ! nous savons que vous n'avez rien d'un
courtisan... et nous vous en félicitons, mon cousin.

— Oui, Siegbert est fier, dit la princesse Cécile.

Ses doux yeux bleus, fatigués par les larmes
versées, s'attachaient, sympathiques et approba-
teurs, sur son jeune parent.

Elle ajouta :

— C'est une fierté permise, et même recommand-
dée, car elle témoigne d'un caractère élevé, d'une

âme énergique... Ah ! voici, je crois, nos deux promeneurs.

Les comtes Athory et Marklein apparaissaient en
effet au débouché d'une allée. Quand ils furent à
quelques pas de la terrasse, Siegbert s'écria en
riant :

— Vous avez l'air bien agité, Marklein ! Auriez-
vous rencontré la fée du malheur qui rôde, assurent
nos bons paysans, dans les ruines du vieil Hoendeck ?

— Une fée du malheur ! Ah ! non, par exemple ! Votre Altesse ne tombe pas bien ! Une fée,
oui... mais une fée d'idéale beauté, une fée de lumière, une merveille, un rêve !

— O ciel, quel enthousiasme ! s'écria Carolia en
éclatant de rire.

— Demandez au comte Athory si je ne dis pas
vrai, madame. Il l'a vue comme moi...

— En effet, et les termes dont se sert le comte
Marklein ne sont pas exagérés, déclara Mathias en
souriant. Nous avons aperçu cette jeune inconnue
près des ruines du château — ce que j'ai trouvé
assez imprudent, car tout cela croule lamentablement là-haut, Siegbert.

— Des cheveux roux... mais de quel roux admirable ! continuait l'enthousiaste lieutenant. Et un
teint idéal ! et des yeux ! Non, vous ne pouvez
vous imaginer l'impression produite par cette apparition toute vêtue de mauve pâle, au milieu de
ces vieilles pierres dorées par le soleil !

— Vous êtes complètement emballé, comte !
s'écria gaiment la comtesse Athory. Mais je voudrais bien, moi aussi, connaître cette merveille...
Comme seigneur du pays, vous devez savoir qui elle
est, mon cousin ?

Le prince avait un peu tressailli, en entendant la description faite par son jeune hôte. Mais instantanément il s'était fait une physionomie impassible. A la question de la comtesse, il répondit laconiquement :

— Je ne connais guère les habitants de Gleitz.

— Oh ! celle-là n'est pas une villageoise ! Si vous aviez vu avec quelle aristocratique aisance elle répondait à notre salut, bien qu'elle fût très visiblement surprise et intimidée par notre apparition !

La comtesse Sophie, qui venait d'échanger un coup d'œil avec Mme de Sargen, dit avec un accent de dédain :

— Je suppose qu'il s'agit de cette sorte d'aventurière, une dame de Hakenau...

Siegbert se tourna vers elle, d'un mouvement presque violent.

— Mme de Hakenau n'est aucunement une aventurière, mais bien une jeune femme digne de tous les respects !... Et si c'est vraiment d'elle qu'il s'agit, Marklein, je puis vous assurer que sa valeur morale surpasse encore son charme physique.

La comtesse Sophie, atterrée, baissait les yeux sous le regard de son neveu, étincelant d'irritation. Le comte Athory, lui, à ce nom de Hakenau, n'avait pu réprimer un brusque mouvement de surprise et considérait son cousin d'un air passablement ébahi. Quant à Carolia, elle était devenue blême et devait faire appel à toute sa science mondaine pour ne pas laisser voir son trouble.

— Votre Altesse la connaît ? s'exclama le comte Marklein.

Le prince répondit brièvement :

— Oui, je suis le tuteur de sa sœur.

— Est-elle veuve ? interrogea la comtesse

Athory, secrètement intriguée, car elle avait
remarqué le mouvement de son mari et s'étonnait
de voir le prince de Hornstedt prendre avec tant
de feu la défense de cette étrangère.

— Non, elle ne l'est pas.

La comtesse Sophie balbutia :

— Comment ?... On m'avait dit ?

— Eh bien, on s'est trompé, voilà tout, ma tante.
Son mari est bel et bien vivant et n'a aucune envie
de mourir.

— Mais que fait-il ? Le connaissez-vous ? demanda la comtesse Athory.

— Quelque peu, oui... C'est un pauvre aveugle,
qui avait trop longtemps ignoré le trésor que Dieu
lui avait donné. Mais enfin, il a vu clair, grâce au
ciel !

— Cette pauvre jeune femme était donc abandonnée ? s'écria le jeune officier.

— Oui... Mais c'est fini maintenant, dit Siegbert
avec une tranquille fermeté.

— Ah ! il est revenu près d'elle ? Et quelle sorte
d'homme est-ce donc ?

— Un homme comme les autres, mon cher,
répondit le prince d'un ton bref, tout en ouvrant
le porte-cigarettes qu'il venait de prendre dans sa
poche.

La voix de Carolia s'éleva, douce et légèrement
moqueuse.

— Non, pas tout à fait comme les autres, certainement... car, enfin, tout le monde n'aurait pas eu
le triste courage d'épouser la petite-fille d'Eliezer
Onhacz !

Une pâleur intense couvrit pendant quelques
secondes le visage de Siegbert... Et son cousin
Mathias appuya si brusquement la main sur une

petite table placée près de lui que le bois léger
fit entendre un craquement.

Mais presque aussitôt, la couleur revenait au
teint du prince et la voix vibrante s'élevait, dure et
nette :

— J'estime qu'un honnête homme n'a pas failli
en épousant la comtesse Myriam Würmstein, dont
les rares qualités morales, les vertus exquises com-
pensent l'indignité de son aïeul et les fautes de son
père.

— Ni en usant de la fortune gagnée par l'estimable usurier ? murmura Carolia avec un petit
rire mauvais.

Un regard de hautain mépris s'abaissa vers elle.

— Le mari de Mme de Hakenau n'a jamais tou-
ché à cette fortune mal acquise, et cette jeune
femme elle-même, ni sa sœur, n'en vivent plus
depuis qu'elles en connaissent la source. Ces deux
admirables créatures sont douées d'une grandeur
d'âme et d'une délicatesse de conscience que pourraient leur envier bon nombre de femmes qui n'ont
pas cependant un Eliezer dans leur ascendance...
Venez-vous fumer une cigarette, Marklein ?... et
toi, Mathias ?

Très calme en apparence, bien que ses yeux,
devenus d'un bleu sombre, témoignassent d'une
violente émotion, Siegbert se tournait vers son cousin et le jeune officier. Tous deux acquiescèrent et
suivirent leur hôte hors de la terrasse.

Carolia regagna presque aussitôt son appartement
— pour donner un ordre à sa femme de chambre,
dit-elle. Mais quand elle se trouva seule, la jeune
veuve tomba dans un fauteuil et se laissa aller à
une crise de désespoir.

Elle avait conscience qu'elle venait de commet-

tre une épouvantable maladresse et que le prince
lui en voudrait mortellement. Mais qu'existait-il
donc, entre cette jeune femme et lui, pour qu'il
prît sa défense de cette façon ?... au point même
de paraître considérer comme négligeable son origine maternelle !

Et qu'était-ce que cette histoire de mari mysté-
rieux que nul, sauf lui, ne connaissait, qui abandonnait sa femme et revenait tout à coup ? Pourquoi donc, en ce cas, Mme de Hakenau avait-elle
passé jusqu'ici pour veuve ?

« Oh ! il faut que je sache la vérité ! songea
Carolia en tordant le fin mouchoir dans lequel ses
dents s'étaient enfoncées tout à l'heure. Mais
d'abord, il faut que je la voie, cette femme « dont
la valeur morale surpasse encore le charme physique ». Avec quelle chaleur il a dit cela, lui qui
fait profession de mépriser les femmes ! »

VII

L'atmosphère, ce matin-là, était d'une accablante lourdeur. Dans le ciel d'un bleu trop foncé, des nuages cuivrés montaient, annonçant pour l'après-midi une de ces tempêtes effrayantes comme il s'en produisait de temps à autre dans cette contrée.

Escortée par Hamid, Myriam, un peu lasse, avançait lentement sur une route de la forêt. Elle revenait de chez les Gloster, qu'elle avait trouvés tout radieux. Le prince de Hornstedt augmentait le traitement de Léopold, il donnait au pauvre homme malade un congé jusqu'à complet rétablissement... Et le forestier-chef, si arrogant auparavant, se montrait maintenant tout sucre et tout miel.

Emma avait demandé à Myriam :

— Qui a donc pu donner l'idée à Son Altesse de s'occuper de nous ? Ne serait-ce pas vous, madame ?

Myriam avait répondu négativement. Mais presque aussitôt elle s'était souvenue qu'un jour Rachel et elle avaient parlé devant Siegbert de la triste situation des Gloster. Il n'avait pas semblé alors y accorder d'attention... Mais elle constatait que le fait s'était trouvé quand même noté par lui.

Il savait se montrer bon, très bon, quand il le voulait — quand sa nature hautaine et volontaire ne l'emportait pas. Grâce à lui, la famille Oldrecht, elle aussi, renaissait à l'espérance... Oui, incontestablement, il possédait de grandes, de nobles qualités.

Un regret douloureux serrait le cœur de Myriam.

Puisqu'elle devait être séparée de lui, mieux aurait valu qu'elle ne connût pas ce Siegbert trop charmeur, qu'elle restât sur l'impression de l'homme injuste et violent d'autrefois. Alors, elle n'aurait pas éprouvé cette sensation de souffrance aiguë, à la pensée que bientôt il s'éloignerait de Hoendeck — pour toujours peut-être.

Hamid, qui marchait fort sagement près de sa jeune maîtresse, jeta soudainement un joyeux aboiement et s'élança vers une personne qui apparaissait au débouché d'un sentier.

— Ah ! c'est madame Oldrecht ! dit Myriam. Vous venez de chez votre tante Anna ? Comment va-t-elle ?

— Je trouve qu'elle baisse un peu, physiquement. Toutefois, elle reste gaie et vaillante.

— Et le docteur ?

— Lui va beaucoup mieux, grâce au ciel ! Ce matin, il était ravi — et nous aussi ! Son Altesse lui a écrit un petit mot charmant pour lui apprendre que tout s'annonçait pour Ludwig sous les meilleurs auspices et qu'il n'y avait plus lieu de conserver aucune inquiétude. Vous vous imaginez la joie de ma Valérie !

— Oh ! combien j'en suis heureuse ! dit Myriam avec émotion.

— Ce bonheur, nous vous le devons en partie... car enfin, c'est vous qui avez parlé au prince...

— J'ai simplement exposé le cas. C'est de lui-même qu'il a offert son intervention.

— Oui, évidemment... évidemment...

Mme Oldrecht semblait soucieuse et embarrassée. Pendant un moment, elle marcha sans mot dire près de Myriam, en tourmentant nerveusement le gland de son parapluie.

Enfin, paraissant prendre une résolution, elle leva les yeux sur la jeune femme qui cheminait un peu pensive, les yeux fixés droit devant elle vers la profondeur verdoyante de la route forestière.

— Ma chère enfant, j'ai à vous parler... Je voulais le faire depuis quelque temps déjà...

— Qu'y a-t-il donc, chère madame ? demanda Myriam avec surprise.

— Peut-être vous paraîtrai-je un peu indiscrète... mais vous me pardonnerez en faveur de ma profonde amitié pour vous. Il me semble parfois que vous êtes un peu ma fille... N'avez-vous pas songé parfois, Myriam, qu'étant donné votre âge et votre situation, les fréquentes visites du prince de Hornstedt à la Maison des Abeilles devaient étonner ?... peut-être provoquer des commentaires désagréables pour vous ?

Une brûlante rougeur monta au visage de la jeune femme, qui s'arrêta brusquement.

— Ah ! on s'étonne ? Oui, je comprends... Mais je ne puis rien. Il a le droit... comme tuteur de Rachel...

— Par l'intermédiaire de Mme Sulzer, vous pourriez peut-être lui faire comprendre... Je le crois trop honnête homme pour ne pas tenir compte du tort qu'il cause à une jeune femme isolée, sans famille, telle que vous l'êtes.

Myriam dit avec un accent frémissant :

— Oui, je... je le pense aussi... et je vous remercie, chère et bonne amie.

Mme Oldrecht prit la main un peu tremblante, en attachant un regard affectueux sur le beau visage qui témoignait d'une pénible émotion.

— Il ne faut pas vous tourmenter de cela, mon enfant. Je voulais simplement prévenir votre inex-

périence du péril possible... et des commentaires
que pourraient susciter des rapports trop fréquents
avec un homme de l'âge et de la situation du
prince.

Myriam dit avec effort :

— Vous avez bien fait. Je n'avais pas, en effet,
envisagé sous ce jour... Merci encore, chère madame Oldrecht.

La nièce du docteur prit congé de la jeune femme
pour s'engager dans un sentier qui la conduisait
directement à Gleitz, tandis que Myriam continuait
vers la Maison des Abeilles.

Une sourde irritation se mêlait en elle à la souffrance plus vive. Ainsi donc, il n'était venu, ce
prince de Hornstedt, que pour troubler de toutes
façons l'existence de la femme délaissée ! Si,
comme elle le pensait quelquefois, il avait été dirigé par une sorte de compassion à son égard, eh
bien, il fallait convenir qu'il avait singulièrement
réussi, en rendant sa position plus difficile, plus
délicate que jamais !

Et maintenant, elle devrait lui faire entendre
qu'elle ne pouvait plus recevoir ses visites. Car
Mme Sulzer n'accepterait jamais de se faire son
intermédiaire près du maître qui — elle le savait
pour en avoir fait tout récemment encore la pénible
expérience — ne supportait pas qu'elle eût l'air
de jouer un rôle de mentor près de Myriam — près
de sa femme.

Car enfin, elle était sa femme. Il avait le droit...
oui, le droit absolu de l'emmener où il lui plai-
rait... celui aussi de continuer ses visites à la
Maison des Abeilles, s'il lui convenait de tenir pour
non avenue la prière de Myriam.

« Il ne le fera pas ! Il comprendra... », songea-t-elle.

Une sorte de détresse, de regret déchirant l'oppressait. Tout à l'heure, elle allait elle-même briser les rapports qu'il avait plu à Siegbert d'établir entre eux. Ce serait donc fini, elle ne le verrait plus... elle ne rencontrerait plus ce regard qui la troublait et faisait courir en elle un frisson de joie — ce regard qu'il avait eu pour elle l'autre jour dans la roseraie. Comme il avait été violent, à ce moment ! Violent et tendre, énigmatique plus que jamais. Et comme aussi elle l'avait vu reculer, quand elle lui avait rappelé qui était son grand-père !

Myriam eut un long frémissement de douleur à ce souvenir. à la pensée que son origine la rendait pour lui un objet de répulsion.

Mais il fallait que cette situation prît fin. Elle ne pouvait aboutir à rien... qu'à plus de souffrance. Siegbert s'intéressait à elle, très vivement, Myriam ne pouvait le méconnaître. De son côté, elle s'avouait avec un émoi profond qu'il ne lui était pas indifférent. Puisqu'ils ne pouvaient vivre l'un près de l'autre, il était nécessaire que lui se retirât, qu'il laissât Myriam à son abandon.

Mais avec un poignant déchirement, elle se disait que, maintenant, son souvenir ne la quitterait plus.

Hamid, tout à coup, dressa les oreilles. On entendait le bruit des sabots de chevaux frappant le sol...

Précipitamment, Myriam se jeta sous bois. Elle se blottit derrière un large tronc d'arbre et, appelant Hamid, le retint par son collier.

Un groupe de cavaliers et d'amazones apparut bientôt. La route forestière étant relativement

étroite à cet endroit, ils avançaient deux par deux.
En tête se trouvaient une gracieuse jeune femme
brune et un cavalier en qui Myriam reconnut aussitôt le cousin du prince qui avait servi de témoin
à celui-ci pour son mariage. Ils étaient suivis du
prince Siegbert et d'une jeune femme blonde dont
l'amazone foncée faisait ressortir la fraîche beauté.

Les mains de Myriam se crispèrent un peu sur la
poignée de son ombrelle.

Mme Halner, en annonçant à sa tante l'arrivée de
la comtesse de Sargen, avait raconté à Myriam, sans
que celle-ci l'en priât, toute l'histoire de Carolia
d'Eichten.

— Elle vient chercher à rattraper le beau pois-
son qu'elle a si sottement laissé échapper ! avait-
elle ajouté en riant. Ce sera difficile. Mais sait-on
jamais avec les hommes ! La belle comtesse est très
coquette et mettra tout en œuvre pour arriver à ses
fins.

A quoi Mme Sulzer avait riposté en levant les
épaules :

— Notre prince n'est pas un homme à oublier
comme cela, tu peux m'en croire !... Et ce n'est
pas moi qui lui souhaiterais pour femme une sans
cœur de cette espèce !

Elle était bien jolie, pourtant, cette Carolia ! Et
de quel air doux — humble même — elle parlait
en ce moment au beau cavalier dont la cravache
frappait au passage des branches d'arbustes, comme
s'il eût voulu se venger sur eux... de quoi ?... peut-
être de cette odieuse contrainte de son mariage avec
la pauvre Myriam ?

Qui sait, en dépit de ce qu'affirmait Mme Sulzer,
s'il n'aurait pas été disposé à renouer avec son
amie d'enfance les projets d'autrefois ?

Hamid, qui sentait son maître tout près, tirait fortement sur le collier que retenait avec peine Myriam. Il lui échappa enfin et bondit sur la route avec un sonore aboiement de joie.

— Hamid ! Toi, ici !

Siegbert avait arrêté son cheval et se penchait pour caresser la superbe tête qui se dressait vers lui. Puis il jeta autour de lui, vers le sous-bois, un long regard de recherche.

— Ton Hamid est ici, mon cher Siegbert ? Comment ne l'avons-nous pas encore vu ? demanda le comte Athory.

— Il ne m'appartient plus, répondit laconiquement Siegbert.

— Vraiment, tu as vendu cette bête à laquelle tu tenais tant, et qui t'était si attachée ?

— Vendue, non, mais donnée. Du reste, elle n'a pas perdu au change... Va-t'en, maintenant, Hamid, mon bon chien.

Hamid leva sur lui ses yeux qui semblaient dire : « Pourquoi ne viens-tu pas, toi ? » Puis il s'éloigna, suivi du regard par son maître, jusqu'à l'arbre derrière le tronc duquel se cachait Myriam.

Les promeneurs s'étaient déjà remis en marche depuis un long moment que la jeune femme se trouvait encore là, songeuse et triste — oh ! si profondément triste ! Enfin, elle reprit sa route, d'un pas rendu plus las encore par la lourdeur de l'atmosphère.

Une heure plus tard, dans sa chambre, elle achevait d'écrire le billet destiné au prince. Des larmes glissaient de ses yeux, et l'une d'elles tomba sur le feuillet couvert de sa fine écriture, un peu tremblée aujourd'hui.

Cela, c'était la fin. En gentilhomme qu'il devait

être, Siegbert comprendrait qu'il ne pouvait plus chercher à revoir celle qu'on appelait Mme de Hakenau.

Mais comment lui faire parvenir cette lettre ? Par la poste, elle passerait entre les mains des domestiques, et qui sait ce qu'imagineraient encore les commérages, à la vue de cette écriture féminine et du timbre de Gleitz ? Le plus sûr moyen serait que Mme Sulzer acceptât de l'aller remettre au prince en mains propres.

Mais elle était sortie pour faire quelques achats à Gleitz et ne rentrerait que tout à l'heure... Sa lettre à la main, Myriam descendit pour aller rejoindre Rachel dans le jardin.

Comme elle atteignait le vestibule, la sonnette de l'entrée retentit. Sachant Dorothée occupée au fond de l'enclos, Myriam se dirigea vers la porte et l'ouvrit.

Elle eut un léger sursaut, et un involontaire mouvement de recul, en voyant devant elle la jeune femme blonde qu'elle avait deviné être la comtesse de Sargen, d'après le portrait qu'en avait fait Mme Halner.

Quel que fût l'empire que son habitude du monde lui permettait de conserver sur elle-même, Carolia ne put, au premier moment, maîtriser l'impression produite par cette ravissante apparition. Ce fut Myriam qui, se remettant la première, et un peu surprise de l'étrange façon — rien moins que bienveillante — dont la considérait l'étrangère, demanda avec une politesse froide :

— Que désirez-vous, madame ?

— Mme Sulzer est-elle ici ? demanda la comtesse d'une voix sèche, qui semblait passer difficilement entre ses lèvres blêmies.

— Non, madame... mais elle ne tardera certainement pas à rentrer. Si vous voulez l'attendre ?

— C'est inutile, je reviendrai...

Son regard, à ce moment, tomba sur Hamid qui se tenait derrière Myriam, en attachant des yeux défiants sur l'étrangère.

— Mais c'est le chien du prince de Hornstedt ! Comment se trouve-t-il ici ?

— Le prince a jugé que dans cette maison fort isolée, la présence d'un chien vigoureux n'était pas inutile, répondit Myriam dont la voix se troublait légèrement, tandis que son regard, gêné, se détournait des yeux inquisiteurs de Carolia.

La comtesse laissa échapper un petit rire sarcastique.

— Quelle sollicitude pour cette excellente Sulzer ! Abandonner en sa faveur un chien de ce prix, auquel il tenait beaucoup, paraît-il...

— Il ne l'a pas abandonné, puisqu'il est libre de le reprendre quand il lui plaira, dit froidement Myriam.

— Tiens, il nous a dit ce matin qu'il ne lui appartenait plus ! Qui croire, de lui ou de vous !

— Je ne connais pas les intentions du prince de Hornstedt à ce sujet, répondit Myriam avec la même froideur.

Une sourde impatience la saisissait, et maintenant elle regardait en face, avec une fermeté hautaine, cette femme à la physionomie curieuse et ironique, en qui, aussitôt, elle pressentait une ennemie.

— Vraiment ? dit Carolia d'un ton railleur. Cependant, vous devez le voir assez souvent, puisqu'il est, paraît-il, le tuteur de votre sœur ?... Je me souviens fort bien de vous deux, quand le comte

Siegbert et moi vous avons rencontrées jadis dans
le parc de Hoendeck. Depuis lors, je n'avais plus
entendu parler de vous. Et je vous retrouve veuve
maintenant... car vous êtes bien veuve, n'est-ce
pas ?

Oh ! ce douloureux mensonge qui pesait sur elle,
depuis deux ans ! Avant qu'elle revît Siegbert il
lui était moins pénible. Mais maintenant...

Ses lèvres tremblantes se refusèrent à laisser
passer le « oui » menteur et elle se contenta d'in-
cliner faiblement la tête.

De nouveau, le rire moqueur s'éleva. Carolia, en
se penchant, saisit la main de Myriam et la serra
entre ses doigts, fort durs en ce moment.

— Chère madame de Hakenau, vous auriez bien
dû vous concerter avec le prince de Hornstedt pour
vos petits mensonges ! Voyez donc, vous prétendez
être veuve, et lui nous a raconté que votre mari
vivait, qu'après vous avoir abandonnée, il était
revenu près de vous, pour toujours, paraît-il... Où
donc est la vérité, dans tout cela ?

— Il... vous a dit ? bégaya Myriam, pâle de
saisissement.

— Mais oui ! Et là-dessus, j'ai laissé voir mon
étonnement que vous ayez trouvé à vous marier. Il
faut, en vérité, que vous soyez tombée sur un bien
piètre sire, uniquement désireux des jouissances
que pouvait lui procurer votre fortune !

Quelle joie mauvaise elle éprouvait à voir s'al-
térer ce merveilleux visage, à remarquer l'angoisse
qui apparaissait dans ces yeux dont le charme
incomparable avait conquis Siegbert — de cela il
n'y avait pas à douter !

— ... Enfin, voyons, qui a raison, de vous ou de
lui ?

En réussissant, par un courageux effort, à reprendre sa présence d'esprit, Myriam répondit avec un
fier regard sur la physionomie méchamment ironique de la comtesse :

— Demandez-le à lui-même, madame. Seul il
peut vous répondre s'il le juge bon. Moi, je n'en
ai pas le droit.

— Comment, vous n'avez pas le droit de me dire
si vous êtes veuve ou non ? Voilà qui est fort, en
vérité ! Et qu'est-ce que le prince de Hornstedt
peut bien avoir à faire là-dedans ?

Myriam eut un frisson de détresse. Ah ! dans
quelle inextricable situation la mettait ce Siegbert
par son étrange, inexplicable idée d'apprendre à
la comtesse de Sargen que le mari de Mme de Hakenau vivait encore... et de prétendre qu'il ne la
quitterait plus !

— Je ne puis que vous répondre encore, madame, de le demander au prince, puisqu'il vous a
déjà si bien renseignée.

Sur ces mots, n'en pouvant plus, et voulant
couper court à de nouvelles questions, Myriam
inclina légèrement la tête et se dirigea rapidement
vers l'escalier.

Carolia eut un rire sarcastique.

— Ah ! vous vous en tirez par la fuite ! Mais
soyez sans crainte, je saurai... Oui, je suis excessivement curieuse de savoir lequel ment, du prince
Siegbert ou de vous !

Et, tournant les talons, elle s'éloigna dans un
frou-frou de soie.

Quand Myriam fut arrivée dans sa chambre, elle
se laissa glisser à genoux devant son crucifix, et,
longtemps, elle pria et pleura, confiant à Dieu, son

seul consolateur, toute l'amertume de son cœur
douloureux.

*
* *

Vers deux heures de l'après-midi, ce même jour,
Mme Sulzer quittait son logis et prenait le chemin
du château. Elle allait porter à son maître la lettre
de Myriam — fort à contre-cœur, il faut l'avouer.
Mais elle n'avait osé refuser ce service à la jeune
femme, dont la mine défaite l'avait quelque peu
impressionnée.

Qu'est-ce qu'elle pouvait bien lui écrire, cette
Myriam ? Depuis l'autre jour qu'il l'avait vue
dans la roseraie, il n'avait pas reparu. Trouvait-
elle le temps long sans lui, et lui demandait-elle de
venir ?

Mais en ce cas, elle n'aurait pas eu cet air-là...
car enfin, elle devait bien se douter que Son Altesse
ne répondrait pas « non » à son appel... hélas !
hélas !

Un gros soupir gonfla la poitrine de Mme Sulzer.
Comment tout cela allait-il finir, Seigneur ? Le
prince aurait-il assez d'énergie pour rompre l'en-
chantement, pour fuir la jeune femme dont le
charme l'attirait, le retenait ici ?

Tandis qu'un peu après, l'ancienne femme de
charge attendait dans le vestibule du château le
retour du laquais chargé par elle de demander
audience à son maître, la comtesse Athory et Mme
de Sargen rentrèrent, venant du parc où commen-
çaient de s'élever les premiers souffles de la tempête. Carolia s'approcha de Mme Sulzer et dit gracieusement :

— Bonjour, ma bonne Sulzer... J'ai été ce matin

vous faire une petite visite. Mais vous n'y étiez justement pas.

— Ah ! oui, madame la comtesse, on m'a dit, en effet... Je regrette beaucoup... et je vous suis très reconnaissante...

— Si je ne vous ai pas trouvée, j'ai eu le plaisir de voir cette jeune femme... cette Mme de Hakenau, dont on parle beaucoup en ce moment. Elle est restée veuve, m'a-t-on dit, peu de temps après son mariage ?

Mme Sulzer répondit sèchement :

— Oui, madame.

— Vraiment ! Pauvre enfant !... Il était bien, son mari ?

Mme Sulzer répondit, d'un air imperturbable :

— Très bien, madame. On ne peut pas être mieux.

— Ce dut être un grand chagrin pour elle ?

— Je le suppose, madame la comtesse.

Là-dessus apparut le valet, venant informer Mme Sulzer que le prince l'attendait. La vieille dame salua Carolia et suivit son introducteur, tout en songeant avec un certain contentement :

« Elle voudrait me faire parler, cette belle comtesse. Mais il en faudrait encore de plus fortes qu'elle pour m'ouvrir la bouche, quand mon maître m'a ordonné de la tenir fermée. »

Siegbert se trouvait dans son cabinet de travail, d'où il venait de congédier son secrétaire après le dépouillement du courrier. Sa main frémit un peu, en prenant la lettre que Mme Sulzer lui présentait après avoir exécuté sa plus profonde révérence.

Il dit avec un geste bienveillant :

— Merci, Sulzer... Et rentrez vite, car la baisse

extraordinaire du baromètre nous annonce une terrible tempête.

Quand il fut seul, il décacheta vivement l'enveloppe et parcourut en un instant les feuillets...

Une violente émotion apparut sur sa physionomie. Avec ferveur, il appuya ses lèvres à l'endroit où une larme de Myriam formait une petite tache.

« Pauvre bien-aimée, comme je vous fais souffrir par mes lâches hésitations en face de ce qui est mon devoir... et mon bonheur ! Mais c'est fini, maintenant, vous avez vaincu ! »

Il se leva, ouvrit une porte et se trouva dans un petit vestibule éclairé par de hautes verrières. Un escalier donnait là, qui conduisait à l'appartement de Siegbert et à celui, tout voisin, qui avait été celui de sa mère. Il demeurait inhabité depuis la mort de la comtesse Ilka ; mais Mme Halner, à sa vive surprise, avait reçu l'ordre de le tenir en état — « tout comme si Son Altesse avait l'intention d'y loger prochainement quelqu'un », confiait-elle à son mari, le sommelier-chef.

C'était dans cet appartement que se rendait Siegbert. Il jeta un coup d'œil sur les pièces d'un luxe discret, puis, satisfait de son examen, redescendit et sortit du château.

Peu après, une forme féminine enveloppée d'un manteau apparut au seuil d'une porte de service. Elle jeta un coup d'œil autour d'elle, puis, voyant les alentours déserts, s'en alla d'un pas hâtif, suivant de loin le prince qui se dirigeait vers le parc.

VIII

La tourmente prévue se préparait. Un vent brûlant soulevait une impalpable poussière et dans le
ciel aux teintes de cuivre, les nuages rapides deve-
naient d'un sombre gris de fer.

En peu de temps Siegbert atteignit la Maison
des Abeilles. Il sonna et demanda à Dorothée qui
vint ouvrir :

— Mme de Hakenau est-elle là ?

— Non, Votre Altesse, il n'y a que Mlle Rachel.

— Voyons, que je lui parle...

Ecartant vivement du geste la servante, il entra
dans le parloir où Rachel, rendue fort lasse par
la température, se reposait sur sa chaise longue.

— Bonjour, ma chère enfant. Pourriez-vous me
dire où est votre sœur ?

— Elle est sortie, voici dix minutes, Altesse.
Depuis ce matin, elle était toute pâle, toute ner-
veuse, et elle m'a dit : « Je vais monter aux ruines,
car j'ai besoin de marcher, de prendre un peu
l'air. »

— Aux ruines ! Quelle imprudence, avec le
temps qui s'annonce !... Je cours vite la chercher !
A bientôt, Rachel.

Mais la main de la fillette le retint et des yeux
suppliants se levèrent sur lui.

— Elle avait pleuré, ma Myriam... Dites, prince,
ne pourriez-vous l'empêcher de pleurer ?

Siegbert se pencha, prit à deux mains la petite
tête et mit un baiser sur les cheveux blonds.

— Oui, ma chérie, elle ne pleurera plus par ma

faute, je vous le promets ! A tout à l'heure, petite sœur.

Et souriant aux yeux couleur de pervenche qui laissaient voir une joyeuse surprise à cette appellation inaccoutumée, Siegbert s'éloigna rapidement.

Il n'avait pas fait cent mètres qu'un subit et violent coup de vent courba les branches bruissantes des vieux arbres et le fit presque chanceler. La tourmente se déchaînait, impétueuse et brutale.

Il essayait de se hâter, mais vainement, car le vent était devant lui. L'anxiété le saisissait, à la pensée que Myriam pouvait se trouver exposée à cette effrayante bourrasque avant d'atteindre les ruines.

Enfin, il prit pied sur le sommet rocheux. La tempête se déployait là dans toute sa fureur et il dut se courber, ramper presque pour passer à travers les décombres et gagner l'ancienne salle des Seigneurs.

Myriam s'y trouvait, enveloppée dans sa grande mante noire, debout près de la cheminée immense. Dans cette salle en ruines, le vent entrait en toute liberté, rugissant et très rafraîchi depuis un moment.

D'un bond, Siegbert fut près de la jeune femme. Elle eut une exclamation étouffée, en le regardant avec une surprise à laquelle se mêlait une sorte de soulagement joyeux.

— Quelle folle imprudence de monter ici par ce temps ! Myriam, voulez-vous donc me faire mourir d'inquiétude ?

Il lui prenait les mains et l'attirait vers lui, en plongeant ses yeux brûlants d'ardente tendresse dans les belles prunelles veloutées qui, pleines d'émoi, essayaient de se détourner.

Myriam balbutia, sans trop savoir ce qu'elle disait :

— Il n'y a rien à craindre... Je suis à l'abri. J'espère que... que vous ne vous êtes pas dérangé pour moi ?

— Et pour qui donc me dérangerais-je, si ce n'est pour celle que j'aime plus que ma vie ? Je viens vous chercher, Myriam, et je vous emmènerai dans mon vieil Hoendeck, ma chère princesse, ma bien-aimée, sans qui je ne peux plus vivre.

Elle eut un brusque mouvement pour se dégager des mains qui la retenaient.

— Mais vous savez bien que c'est impossible ! dit-elle d'une voix étouffée.

— Impossible ? Pas le moins du monde. Avant de recevoir votre lettre, j'avais déjà reconnu que là se trouvait mon devoir.

Elle répliqua d'un ton véhément :

— Jamais je n'accepterai d'être pour vous une entrave... et un regret perpétuel ! Déjà, ce malheureux mariage brise votre existence. Mais du moins, on l'ignore... et loin de moi, vous pouvez essayer d'oublier que j'existe.

— L'oublier, maintenant ? Vous ne comprenez donc pas combien je vous aime ? S'il le fallait, j'irais vivre dans la plus complète solitude, pourvu que vous acceptiez de m'y suivre. Que m'importe tout ce qui se dira au sujet de notre mariage ! Nous nous mettrons au-dessus de l'opinion du monde, voilà tout... et nous serons heureux.

— Non, vous ne le serez pas, car vous ne pourrez oublier de qui je suis la petite-fille. Autrefois, j'ai été pour vous un objet de mépris et de haine. Souvenez-vous de ce jour où vous m'avez jetée dehors... Tenez, je porte toujours la marque de la blessure

que je me fis, en tombant contre la balustrade. Eh
bien, maintenant comme ce jour-là, je suis toujours la fille du comte Würmstein et de Salomé
Onhacz. Je suis la femme qu'on vous a imposée
comme épouse...

— Taisez-vous ! Taisez-vous !

Il portait les mains de la jeune femme à ses
lèvres et les baisait passionnément.

— Quoi, je vous ai blessée, Myriam ? Fou, misérable fou que j'étais !... Et ce souvenir doit vous
faire hésiter à suivre l'homme dont vous avez
éprouvé ainsi la violence et l'injustice ? Cependant, si vous saviez !... si vous saviez, ma bien-
aimée, quelle femme heureuse je souhaite faire de
vous !

Myriam frissonnait d'une joie profonde sous le
regard d'ardente prière. Elle dit d'un ton bas et
tremblant :

— Je crois à votre sincérité... je sens bien que
vous m'aimez vraiment. Mais si j'accédais à votre
demande, bientôt, vous regretteriez... Oui, quand
vous verriez votre brillante carrière de diplomate,
d'homme du monde, détruite à cause de moi, vous
finiriez par vous dire : « J'ai eu tort de céder au
sentiment chevaleresque qui me portait à enlever
cette jeune femme d'une position fausse. » Vous
souffririez... je le verrais et je... oui, je ne pourrais
pas le supporter ! acheva-t-elle avec un long frémissement de douleur.

D'un mouvement ferme et doux, Siegbert l'attira
contre lui en l'entourant de ses bras.

— Non, je ne regretterai rien, ma chérie. Pour
vous, je renonce à tout, sans regret. Vous suffirez
à remplir ma vie, vous m'êtes infiniment plus
chère que tout au monde. Dites-moi vite que vous

avez confiance en mon amour, que vous allez me
suivre pour prendre sous mon toit la place qui vous
est due ? Myriam, je vous en supplie ?

Elle murmura :

— Non, non, je ne peux pas... je ne dois pas...

Elle essayait de lutter encore et détournait son
regard plein d'angoisse des yeux trop éloquents qui
l'imploraient passionnément.

— Que pourrais-je donc dire pour vous convaincre ? Myriam, je vous ai aimée dès la première fois
où je vous ai vue chez les Gloster. Ce jour-là, votre
âme délicate, vos idéales vertus m'ont charmé à
jamais, autant que votre beauté... C'est pour vous,
pour vous seule que je suis revenu. Allez-vous me
repousser maintenant, me condamner à la souffrance et à la solitude ? Dites-le-moi, vous qui êtes,
qui serez toujours mon unique amour ?

— Je voudrais tant vous croire ! Mais j'ai peur...

Elle s'interrompit avec un léger cri. Dans une
des ouvertures béantes de la salle s'encadrait une
forme féminine enveloppée d'un long manteau
clair. Sous le capuchon se montrait le visage de
Carolia, blême et crispé. Les yeux luisaient de
sourde fureur et les lèvres s'entr'ouvraient en un
rictus mauvais.

— Elle ! dit Siegbert entre ses dents. Eh ! elle
nous espionnait ! Tant mieux !

Serrant plus fort contre lui Myriam qui avait eu
un instinctif mouvement pour se dégager, il éleva
la voix afin de dominer les hurlements de la tempête :

— Approchez donc, madame, vous serez ici un
peu mieux à l'abri... Et j'aurai le plaisir de vous
présenter ma femme, la princesse Myriam de Hornstedt.

La main de Carolia s'agrippa au mur, comme si
la jeune femme se retenait pour ne pas chanceler.

— Votre femme ?

— Mais oui, parfaitement. Vous pourrez vous
renseigner à ce sujet près du comte Athory qui fut
un des témoins de notre union, célébrée il y a deux
ans.

— Ah ! vraiment !... C'est... inouï... Et Votre
Altesse n'avait pas cru devoir, tout d'abord, nous
faire connaître cet... étonnant mariage ?

Les derniers mots sifflèrent entre les lèvres blêmies de Carolia.

Le prince riposta d'un ton hautain :

— Non, madame. Cette union m'avait été imposée par mon père, et je supportais difficilement
la pensée de me trouver ainsi engagé, sans possibilité de faire prévaloir mon choix. Mais quand j'ai
connu celle qui était ma femme, je n'ai plus rien
regretté, plus rien désiré.

— Oui, elle vous a fait oublier les petits... in-
convénients de ce mariage.

Ces paroles, et la voix mauvaise de Carolia, firent
tressaillir Myriam. Elle murmura désespérément :

— Vous voyez ! Vous voyez !

Siegbert dit tendrement à son oreille :

— Ne craignez rien, ma Myriam, les paroles de
cette femme ne peuvent me toucher... pas plus que
les jugements du monde, si souvent faux et inté-
ressés...

Il s'interrompit.Une rafale d'une extraordinaire
violence s'abattait tout à coup sur le vieux bâtiment. Pendant l'espace de quelques secondes, il
parut à ceux qui étaient là, saisis d'épouvante,
qu'une bande infernale et rugissante se ruait sur
les murs antiques.

Carolia, incapable de résister à la violence du vent, s'était accroupie et se tenait comme elle pouvait à la muraille en ruines.

Un craquement épouvantable se fit entendre... Toute la partie encore intacte de la salle s'écroula, entraînant dans sa chute la vieille cheminée.

D'un geste plus prompt que la pensée, Siegbert avait entraîné sa femme. Une énorme pierre arriva cependant jusqu'à eux, mais s'arrêta aux pieds de Myriam.

Carolia, jetant un cri de terreur, s'enfuit dans la direction du sentier, en dépit des rafales qui s'acharnaient sur elle.

Myriam, tremblante, se serrait contre Siegbert en murmurant une ardente prière, qui était aussi une action de grâces pour le danger auquel ils venaient d'échapper.

Mourir tous deux, là, aurait été bien doux, pourtant... Mais Rachel, la chère petite sœur !...

— Nous ne pouvons demeurer ici, dit la voix anxieuse de Siegbert. Ce qui reste de ces vieux murs menace de s'écrouler d'une minute à l'autre. Vous allez vous appuyer sur moi le plus possible, et nous tâcherons de gagner Hoendeck... Vous n'aurez pas trop peur d'affronter la tempête ?

— Non, pas avec vous.

Ils sortirent des ruines, sur lesquelles la tourmente s'acharnait toujours. Mais à peine s'étaient-ils engagés dans le sentier qu'une accalmie parut se produire, de telle sorte qu'en se hâtant ils purent atteindre sans trop de peine le parc, moins exposé à la violence des rafales.

Siegbert demanda, avec un accent de prière frémissante :

— Vous venez, Myriam ?... Vous venez à Hoendeck ?... chez nous ?...

Les beaux yeux noirs se levèrent sur lui, et il y
lut une dernière, une poignante hésitation.

— Vous le voulez ? Vous ne regretterez rien ?

— Non, jamais, jamais ! Vous seule me suffirez,
Myriam, mon incomparable trésor !

— En ce cas, j'irai avec vous, où vous voudrez...
Mais il faut auparavant que j'aille rassurer ma
petite Rachel, qui s'inquiète certainement...

— Ne craignez rien, je vais envoyer immédiatement un domestique pour la prévenir. Ce n'est pas
moi qui voudrais être cause d'une souffrance pour
notre chère petite sœur !

Cette affirmation, et la douceur affectueuse de
l'accent, dilatèrent le cœur de Myriam, déjà palpi-
tant de bonheur. Dans son regard Siegbert put lire
le plus fervent des remerciements, et une tendresse
profonde qui donnait un charme irrésistible à ces
yeux admirables. Il murmura, avec une sorte
d'ivresse : « Ma Myriam... enfin, enfin ! » Et ses
lèvres baisèrent longuement les paupières tremblantes.

Puis, sans un mot de plus, ils prirent le chemin
du château.

Les alentours de la vieille demeure se trouvaient
déserts, chacun s'étant retiré à l'abri de la tourmente. Dans le vestibule, un valet accourut à la
sonnerie impérative du prince. En dépit de son
impassibilité de serviteur bien stylé, cet homme ne
put dissimuler complètement sa stupéfaction, à la
vue de cette jeune femme, si belle et si pâle, qui
s'appuyait au bras de son maître.

— Préviens Martha Halner qu'elle vienne me

parler à l'instant et dis à Murken de nous servir le thé dans mon appartement, ordonna le prince.

Et tandis que le valet, visiblement ahuri, s'en allait dans la direction de l'office, Siegbert conduisit Myriam au premier étage, dans un salon très vaste, décoré avec un luxe sévère. Des peaux d'ours étaient jetées sur les tapis anciens, quelques œuvres d'art précieuses que le prince aimait à voir toujours autour de lui, décoraient les antiques crédences et les bahuts aux sculptures délicates. Des vases et des coupes en cristal de Bohême étaient garnis de violettes, dont le parfum léger se répandait à travers l'atmosphère attiédie par un clair feu de bois que Murken avait eu la précaution d'allumer tout à l'heure, en constatant le refroidissement de la température.

Siegbert fit asseoir la jeune femme près de la cheminée, après l'avoir débarrassée de son manteau. La chevelure superbe, à demi détachée par la tempête, se répandit en partie sur les épaules de Myriam. Comme celle-ci faisait le geste de la relever, Siegbert intervint avec vivacité :

— Non, je vous en prie !... Tout à l'heure, je vous mènerai à votre appartement, et vous pourrez vous recoiffer à loisir. Mais laissez-moi maintenant admirer cette merveille...

D'un geste prompt, il enleva les épingles qui demeuraient encore et la magnifique chevelure d'or roux se répandit en larges ondulations jusqu'à la taille de la jeune femme.

— Siegbert, que faites-vous ? dit Myriam avec confusion. Mme Halner va venir, et votre valet de chambre...

— Ils mettront cela sur le compte de la tempête... et ils admireront, eux aussi.

Il souriait, en considérant avec une amoureuse complaisance la jeune femme rougissante et profondément émue, cette délicieuse Myriam au cœur si pur, à l'âme candide et forte qui serait la compagne idéale et pour laquelle il se sentait prêt à tous les sacrifices.

S'asseyant près d'elle, il prit ses mains froides et frissonnantes.

— Vous allez boire quelques tasses de thé pour vous réchauffer bien vite. Puis il faudra prendre meilleure mine, maintenant. Vous avez maigri et pâli, en ces derniers temps... et je crains que ce soit par ma faute. Mais je vous aimerai tant que j'espère arriver à vous faire oublier mes torts.

— Oh ! j'ai tout oublié !

Le charmant visage pâli s'éclairait d'un rayonnement d'amour et la chaude lumière des yeux veloutés fit tressaillir Siegbert d'une joie passionnée.

— Ma femme chérie !

Avec ferveur, il baisa la cicatrice de la blessure que lui avait montrée tout à l'heure Myriam.

— Cela aussi est-il tout à fait pardonné ?

— Tout, tout !... Et... je suis si heureuse ! acheva-t-elle avec un soupir de bonheur.

— Répétez-moi encore cela, mon amour ? Dites-moi bien que vous n'aurez plus peur de moi, de mon mauvais caractère ?

Elle eut un rire frais, que Siegbert n'avait jamais entendu.

— Mais si, j'en ai très peur, au contraire ! Aussi faudra-t-il bien vous garder de me le montrer jamais !

IX

Peu après, dans tout le château, se répandit l'incroyable nouvelle : cette belle jeune femme, qui jusqu'alors portait le nom de Hakenau, était en réalité une très légitime princesse de Hornstedt. Le prince l'amenait prendre à Hoendeck la place qui lui était due, et Mme Halner avait reçu l'ordre d'apporter les derniers aménagements à l'appartement de la défunte comtesse, qui lui était destiné.

Par l'entremise de sa femme de chambre, la comtesse Sophie, elle aussi, fut bien vite au courant. Tout d'abord, elle ne voulut pas y croire. Mais Claudia précisait...

— Mme Halner l'a vue... Elle se trouvait dans l'appartement de Son Altesse, assise près du feu, belle comme une princesse de contes de fées, avec ses cheveux déroulés sur ses épaules... Le prince était près d'elle, et il n'avait plus du tout, paraît-il, son air sombre de ces derniers temps.

Mme de Hornstedt, abasourdie, leva les mains au plafond.

— C'est inimaginable ! C'est fou !... Mais enfin, admettons qu'il se soit laissé prendre par cette habile intrigante... il n'est pas possible que lui... lui, songe à nous la présenter sous le nom de princesse de Hornstedt !

— Cependant, Son Altesse a bien dit à Mme Halner : « Voici ma femme, la princesse de Hornstedt, à laquelle vous devrez la même obéissance et le même dévouement qu'à moi-même. »

La comtesse Sophie n'était pas encore revenue

de son premier saisissement quand apparut le comte Athory. Il venait lui apprendre, au nom de Siegbert, le mariage secret dont il avait été autrefois l'un des témoins et la décision qu'avait prise le prince de le rendre maintenant officiel.

— Ainsi donc, c'était vrai ? s'exclama la comtesse, dont le blême visage rougissait de colère. Mais c'est une chose épouvantable ! Lui, Siegbert, époux de la petite-fille d'Eliezer Onhacz !... Comment pouvez-vous rester calme devant une pareille abomination, comte Athory ?

— Je ne méconnais pas, croyez-le, les désagréments que mon cousin rencontrera du fait de cette pénible origine. Mais d'autre part, la jeune princesse est un être d'élite, à tous points de vue, et elle rendra fort heureux ce cher Siegbert, qui en est des plus épris. Du moment où, comme je vous l'ai expliqué, il était obligé à ce mariage par le serment de son père, mieux valait que la situation se dénouât de cette manière.

— Mais il ne pourra pas reparaître à la cour ! Tout son magnifique avenir est brisé, anéanti !... Et il faudra que je voie cette aventurière prendre la première place ici ? Et vous croyez que je pourrai vivre côte à côte avec ce rejeton du vieil Eliezer ?

Mathias dit froidement :

— Je vous conseille, chère comtesse, de modérer votre contrariété. Vous connaissez mieux que moi le caractère de Siegbert ; par conséquent, vous n'ignorez pas qu'il entendra que la femme jugée digne par lui d'être amenée dans la demeure de ses ancêtres soit entourée d'égards, et qu'elle n'ait à souffrir aucun froissement. Je ne crois pas me tromper en pensant que les personnes assez mal avisées pour témoigner même quelque froideur à cette charmante princesse auraient à s'en repentir sérieusement.

Mme de Hornstedt pâlit, s'agita sur son siège et enfin déclara d'un ton fort adouci :

— Personne n'aura cette idée... non, personne, mon cher comte, vous pouvez en être certain. Siegbert est libre, naturellement. Mais au premier moment, la surprise...

Le comte riposta, en retenant un sourire :

— C'est chose très compréhensible. Je vais maintenant informer de la nouvelle les hôtes de Siegbert. Ce soir, nous excuserons mon cousin près d'eux. Il reste avec sa femme, que la tempête a fatiguée. Demain seulement, la princesse de Hornstedt leur sera présentée.

Aussitôt que le comte Athory fut sorti, Mme de Hornstedt se précipita vers l'appartement de Carolia. Mais la femme de chambre lui apprit que Mme de Sargen, souffrant d'une violente migraine, s'était enfermée dans sa chambre en défendant qu'on la dérangeât.

Et la comtesse Sophie revint chez elle, en se répétant avec désolation :

— Quelle catastrophe ! Ce malheureux Siegbert est fou !

⁎⁎

En tout cas, il semblait un fou très heureux, ainsi qu'en témoignait sa physionomie tandis qu'il attendait le lendemain matin, dans son cabinet de travail, Myriam qui s'habillait pour se rendre avec lui à la Maison des Abeilles.

Il sourit en la voyant entrer dans la grande pièce

un peu sombre qui parut tout éclairée par sa fraîche robe mauve et sa radieuse beauté.

— Vous avez choisi ma couleur favorite, dit-il
en baisant les petites mains qu'il avait prises entre
les siennes.

— Ah ! tant mieux. Je ne connais pas encore
vos goûts, Siegbert ; il faudra me les apprendre.
C'est Rachel qui m'a tourmentée pour que je quitte
mes robes noires.

— Vos robes de veuve ! Ma pauvre chérie !...
Mais ne pensons plus à cela et allons vite embrasser
notre petite sœur.

Comme ils sortaient du cabinet de travail, un
domestique apparut, venant informer le prince que
Léopold Gloster demandait à lui parler pour une
importante communication.

Siegbert donna l'ordre de l'introduire.

La nouvelle de l'existence d'une jeune princesse
qui n'était autre que Mme de Hakenau s'était déjà
répandue jusqu'à Gleitz. Gloster, passant par le
village ce matin-là, en avait été informé. Aussi ne
manifesta-t-il aucune surprise en trouvant chez le
prince Myriam, qui l'accueillit par un amical sourire.

Le garde avait une mine à la fois joyeuse et agitée, que remarqua aussitôt Siegbert.

— Eh bien, que vous arrive-t-il, Gloster ?

— Une chose bien extraordinaire, Votre Altesse !... Ce matin, en m'en allant faire ma
tournée, voilà que je regarde vers les ruines, et je
m'aperçois que tout un grand pan de mur avait
croulé. Pour mieux me rendre compte, je monte
jusque-là et je constate que c'e. la partie la mieux
conservée, celle où se trouvait la grande cheminée.
Comme le temps me pressait, j'allais me retirer,

quand je remarque, dans un pan de mur encore debout, comme l'ouverture d'une cavité. Je m'approche et je vois... le candélabre, le fameux candélabre d'or !

Myriam et Siegbert laissèrent échapper une exclamation.

— Et moi qui considérais cela comme une légende ! dit le prince en riant. Vous êtes sûr, Gloster ?

— Oh ! bien sûr, Votre Altesse ! Je ne rêvais pas !... Et je suis accouru bien vite, parce que, si quelque rôdeur venait par là...

— Certes ! Prenez avec vous un domestique et rapportez-moi cela ici... Je suis enchanté que ce soit vous qui ayez fait cette découverte, Gloster, car vous aurez sujet de vous en souvenir... agréablement.

Gloster, ravi de la promesse d'une généreuse récompense contenue dans cette phrase, salua profondément et s'éloigna pour accomplir l'ordre donné.

— Voyez-vous, Myriam, moi qui faisais l'esprit fort en traitant de crédules ceux qui croyaient à l'histoire de ce fameux chandelier d'or ! s'écria gaiement Siegbert. L'autre jour encore, j'en plaisantais avec la comtesse Athory. Mais je vais être maintenant assiégé par les enfants d'Israël, désireux de posséder cette relique de leur passé national et religieux. Les collectionneurs, également, se mettront de la partie. Malheureusement, la découverte va s'ébruiter ; il ne me restera que la ressource de refuser impitoyablement ma porte à tous les solliciteurs.

— Quel bonheur que ce soit ce brave Gloster qui l'ait trouvé!... Car j'ai compris que vous seriez très généreux pour lui, mon cher Siegbert.

— Oui, plus encore que pour un autre. Je n'oublie pas que c'est chez lui que je vous ai connue. Du reste, je suis prêt à faire tout ce qui vous sera agréable pour ceux que vous me recommanderez, Myriam très aimée.

— Eh bien, je vous prends au mot, sans tarder. Vous avez trouvé dignes d'attention les dessins de Luitpold Oldrecht ; ne pourriez-vous aider ce pauvre garçon à réaliser sa vocation artistique ? Toute sa famille en serait si heureuse !

— Certainement, je m'en occuperai avec plaisir.

— Que vous êtes bon ! Je n'osais trop vous en parler, parce que j'avais cru remarquer chez vous une sorte d'antipathie pour lui.

Siegbert retint un sourire. Il ne voulait pas lui dire qu'il avait été un instant jaloux de Luitpold Oldrecht et que le brusque rappel de celui-ci, par ses chefs, était dû à l'intervention du tout-puissant prince de Hornstedt.

— Mais non, il ne me déplaît pas du tout ! Je vous assure que je serai très heureux de lui rendre service. Partons vite, maintenant, car ce légendaire chandelier nous a retardés.

Comme la voiture que conduisait Siegbert quittait les abords du château, une fenêtre s'entr'ouvrit au premier étage, une tête blonde se pencha un peu... des yeux brillants de rage et de désespoir suivirent l'élégant équipage jusqu'à ce qu'il eût disparu dans les allées du parc.

Alors la fenêtre fut brusquement refermée. Et la femme de chambre, appelée par une sonnerie impatiente, reçut l'ordre de commencer immédiatement les malles, la comtesse de Sargen partant par le train de l'après-midi.

⁂

Siegbert avait résolu que sa femme serait dès ce jour présentée à ses hôtes et qu'elle remplirait aussitôt son rôle de maîtresse de maison. Myriam affrontait cette épreuve avec appréhension, en dépit des assurances que lui donnait son mari à ce sujet. Quelle serait l'attitude de la parenté du prince, devant cette jeune femme qui arrivait là comme une intruse et que Siegbert entendait mettre aussitôt à la première place ? Que dirait-il, lui, s'il la voyait mal accueillie ?

Mais elle fut vite rassurée. La princesse Cécile et la comtesse Athory étaient femmes de trop de tact et de cœur pour ne pas chercher à éloigner tout motif de froissement. Au reste, elles subirent aussitôt le charme de Myriam et ce fut très spontanément, avec une maternelle tendresse, que la princesse Cécile embrassa la jeune femme, avant de se retirer ce soir-là, en disant à Siegbert qui les regardait avec émotion :

— Vous me permettrez de la considérer un peu comme ma fille, n'est-ce pas, mon cher enfant ?

— A la condition que vous me permettrez d'être pour vous un fils très affectueux, répondit-il en lui baisant les mains.

Quant à la comtesse Sophie, qui étouffait de colère, elle s'était d'abord montrée suffisamment aimable dans le seul but de ne pas exciter le courroux de son neveu. Cependant, à la fin de la soirée, elle était déjà presque conquise, et en regagnant son appartement, elle songeait :

« Quand on la connaît on comprend un peu la folie de Siegbert... Et il est bien certain que Carolia ne pouvait lutter avec elle ! »

X

Dans tout l'Empire, la nouvelle de l'étrange mariage du prince de Hornstedt provoqua la plus vive stupéfaction. Quant aux habitants de Gleitz, le premier étonnement passé, ils s'en montrèrent fort satisfaits en constatant que la nouvelle princesse restait exquisement bonne et charitable, que le jeune seigneur, jusque-là fort indifférent, se révélait plein de bienveillance pour tous. Nul n'ignorant que ce changement était dû à Myriam, il en résulta que la jeune femme, peu connue en dehors des pauvres qu'elle visitait, devint, sa grâce et sa beauté aidant, l'idole de tout le pays.

Les Oldrecht, tout les premiers, ne manquaient pas une occasion de témoigner leur reconnaissance à la jeune princesse et à son mari. Celui-ci avait fait reconnaître sans peine l'innocence de Ludwig Marlbach et l'officier qui poursuivait celui-ci de sa haine venait d'être envoyé en disgrâce dans une petite garnison perdue. Mais le prince n'avait pas borné là son intérêt. Valérie, dont il devait être l'un des témoins, avait reçu l'assurance que sa protection suivrait toujours Ludwig au long de sa carrière. Quant à Luitpold, recommandé par lui à un célèbre peintre viennois et pourvu d'une excellente sinécure administrative, il travaillait avec ardeur en essayant d'oublier le rêve qui avait envahi son cœur.

Les hôtes d'Hoendeck continuaient d'entourer la jeune princesse de sympathie et d'admiration. Myriam se sentait vraiment heureuse dans cette vieille demeure, en cette calme existence où les seules

distractions étaient la musique, la chasse, les promenades.

Heureuse ?... Non pas cependant quand lui revenait cette crainte atroce que Siegbert éprouvât un
jour des regrets. Alors, le cœur battant d'angoisse,
elle épiait tous les mouvements de sa physionomie,
toutes les intonations de sa voix.

Il avait décidé qu'ils passeraient l'hiver à Gœlbrunn, parce qu'il lui était impossible de présenter
à Vienne la petite-fille de l'usurier, de l'homme qui
avait eu pour victimes nombre de membres de
l'aristocratie autrichienne. En ce moment, il ne
mesurait peut-être pas l'étendue du sacrifice qu'il
accomplissait ainsi, pour l'amour de Myriam. Il ne
voyait encore qu'elle seule et dans son bonheur
oubliait tout. Mais si, un jour, il venait à l'aimer
moins ? Si cet homme jeune, actif et d'une si profonde intelligence, regrettait le rôle prépondérant
qu'il semblait être appelé à jouer dans son pays ?

Ces retours d'inquiétude étaient vite devinés par
la vigilante sollicitude de Siegbert. Il multipliait
alors les tendres attentions, et jamais mieux qu'en
ces instants Myriam ne comprenait la force et la
délicatesse de son amour.

Souvent, ils montaient aux ruines, pour revivre
pendant quelques moments, les émotions éprouvées
là. Du vieil Hoendeck, il ne restait plus guère
aujourd'hui que des débris. Le candélabre d'or,
enlevé de sa cachette, se trouvait maintenant dans
le grand salon du château. Siegbert, comme il
l'avait prévu, recevait de fréquentes sollicitations
et de nombreuses offres d'achat. Mais, écrites ou
verbales, ces demandes étaient écartées sans examen, et le secrétaire du prince avait ordre d'éconduire tous ceux qui se présenteraient à ce sujet.

Cependant, un après-midi, il se trouva fort embarrassé devant l'insistance d'un petit vieillard à barbe blanche, au type sémitique prononcé, qui demandait à voir Son Altesse elle-même.

— Je n'ai pas à cacher que je viens dans le but d'acquérir ce précieux souvenir de notre patrie, ajouta-t-il. Mais ce que j'offrirai en échange au prince de Hornstedt sera pour lui d'un prix inestimable.

Cette parole fit hésiter le secrétaire. D'autre part, la physionomie du visiteur, son regard surtout, sournois et doucereux, ne lui plaisaient guère. Craignant d'encourir le mécontentement du prince, il répondit par une fin de non recevoir à l'insistance du personnage.

Mais comme l'étranger sortait, il se rencontra dans le vestibule avec Siegbert qui rentrait du parc. Tout aussitôt, il présenta sa requête.

Sans même le laisser achever, le prince déclara sèchement :

— Inutile, cet objet n'est pas à vendre.

Et il allait passer, quand l'inconnu dit à mi-voix:

— Pas même en retour d'une révélation qui ferait le bonheur de Votre Altesse ?

Siegbert eut un léger tressaillement et abaissa un regard scrutateur sur l'énigmatique physionomie.

— Que voulez-vous dire ?

Du geste, le vieillard montra qu'il ne pouvait parler devant les valets présents dans le vestibule.

Siegbert hésita un instant. Puis, se décidant, il dit d'un ton bref :

— Venez.

Dans son cabinet, il demanda, en toisant l'étranger d'un froid regard :

— Expliquez-moi vos paroles ?

— Altesse, je suis Eliezer Onhacs.

Le prince eut un sursaut et ses yeux étincelèrent de colère méprisante.

— Vous !... Et vous osez vous présenter ici ?

— Que Votre Altesse se rassure. Je n'ai pas l'intention de demander à voir mes petites-filles...

Siegbert serra les poings.

... Pour la raison très simple qu'elles ne me sont rien, acheva paisiblement Eliezer.

— Qu'entendez-vous par là ?

— Votre Altesse va comprendre... Mais auparavant, je voudrais qu'elle me promît le chandelier d'or, en retour de la révélation que je vais lui faire.

— Il me faudrait d'abord juger si elle vaut ce prix.

— Votre Altesse me la payerait beaucoup plus encore, j'en suis persuadé ! Mais j'ai confiance en sa justice, en son honneur, et je vais tout lui dire... Celle que l'on a toujours considérée comme ma fille, Salomé Onhacz, se nommait en réalité Hedwige Baroczy, et elle était la fille du comte Mieheli Baroczy et de la comtesse Sarolta Varazyi, sa seconde femme.

Pâle d'émotion, Siegbert s'exclama :

— Quoi ? Que me racontez-vous là ? Prenez garde à vous, si vous forgez quelque tromperie !

— Ce que je dis est l'absolue vérité. Voilà ce qui se passa. Le comte Baroczy et sa femme étant morts à quelques jours de distance, la petite Hedwige se trouva confiée à la tutelle de son frère Béla, né d'un premier mariage. Ce jeune homme, joueur, pourvu de tous les vices et n'ayant conservé aucun scrupule, avait déjà dilapidé une partie de la fortune paternelle et, en quelques mois, dévora le reste.

« Il eut alors recours à moi. Je lui avançai de fortes sommes, puis, le voyant complètement insolvable, je cessai les prêts et fis vendre son domaine patrimonial.

« Un jour, il vint me trouver, la mine bouleversée, pour me supplier de lui donner une somme de trois mille florins — la dernière, assurait-il. — Je fus impitoyable, et il s'en alla en déclarant qu'il ne lui restait plus qu'à mourir.

« Or, le même jour, nous venions de perdre notre petite Salomé, notre unique enfant, et ma femme était plongée dans un sombre chagrin. Je connaissais la petite Hedwige Baroczy, un joli bébé confié par son frère à une mercenaire quelconque, qu'il payait fort irrégulièrement, ou même pas du tout, et qui soignait fort mal la pauvre créature. Devant le chagrin de ma femme — le seul être que j'aie jamais aimé — une idée me vint, et je la mis aussitôt à exécution. J'allai trouver le comte Baroczy et lui offris la somme demandée, à condition qu'il me donnerait sa sœur et ne se réclamerait jamais de ses droits sur elle.

« Tout joyeux, il accepta avec empressement. Dès le lendemain, j'allai chercher la petite fille et la portai à ma femme, qui s'y attacha passionnément. Le comte Béla mourut quelques mois plus tard, tué en duel. Il avait rompu depuis plusieurs années avec sa famille, et Hedwige n'avait plus que des cousins assez éloignés, qui vivaient en France. Personne ne se souciait d'elle et nul ne me disputa la tutelle que je me fis donner sans difficulté, grâce à certaines influences dont je disposais. Peu après, je quittai Buda-Pesth où j'avais jusqu'alors vécu, pour m'établir à Vienne. C'est là que je connus le comte Karl Würmstein.

— Mais celui-ci savait-il la vérité, au moment de son mariage ? interrompit Siegbert qui écoutait avec la plus ardente attention.

— Certainement, je ne la lui avais pas cachée. Il lui plut toutefois de laisser croire qu'il épousait ma fille. C'était une vengeance à l'égard de sa famille et de la société aristocratique qui le repoussaient. Mais en même temps l'orgueil de race qui existait toujours chez lui se trouvait satisfait de ce que, en réalité, ce mariage n'était aucunement une mésalliance.

— Quelles preuves me donnerez-vous de ce que vous avancez là ?

— Si Votre Altesse veut bien jeter les yeux là-dessus...

Il sortit d'un portefeuille plusieurs papiers qu'il tendit au prince.

— ... Il y a l'acte de décès de ma fille Salomé, l'acte de naissance d'Hedwige, son acte de mariage, fait à son nom véritable... plus une déclaration que j'avais fait signer au comte Baroczy, par quoi il assurait m'avoir remis de bon gré l'entière disposition de sa sœur et promettait de ne me la reprendre jamais.

Tandis que Siegbert parcourait les pièces qu'il avait prises des mains de l'usurier, une joie immense l'envahissait, le faisait frémir des pieds à la tête.

Quand il eut terminé, il demanda :

— Mais comment expliquez-vous que le comte Würmstein ait toujours gardé le silence sur la véritable origine de sa femme, au risque de causer à ses enfants un tort irréparable ?

— Je lui avais demandé de me laisser le soin de dévoiler cette origine plus tard... quand l'enfant serait la femme d'un grand seigneur très fier, qui me payerait largement une telle révélation.

A cet aveu cynique, Siegbert ne put retenir un geste d'indignation.

— Ah ! c'est cela ? Odieux, en vérité... Mais qu'était-il donc, ce comte Würmstein, pour accepter cette combinaison infâme ?

Eliezer eut un rictus sardonique.

— Il avait tellement besoin d'argent, Altesse ! Par ce moyen, je faisais de lui ce que je voulais... Et puis ça l'amusait de penser que le comte de Hornstedt se croirait uni à ma petite-fille... Un être bien singulier, ce Karl ! Il me détestait et ne pouvait se passer de moi !

L'usurier se frotta les mains, en laissant échapper une sorte de rire sourd.

Siegbert eut un froncement de sourcils et jeta d'un geste sec les papiers sur son bureau.

— C'est bon, vous pouvez vous retirer. Avant de rien conclure, il importe que je prenne des renseignements. S'il sont satisfaisants, le candélabre est à vous.

— Je le comprends fort bien, et j'attendrai sans crainte que Votre Altesse soit complètement fixée à cet égard, car j'ai en sa parole la plus entière confiance.

Siegbert risposta, d'un ton de dédaigneuse hauteur :

— Je suppose en effet que vous n'avez pas à en douter... Mais n'oulbiez pas de me laisser votre adresse.

— Voici, Altesse.

Eliezer sortit une carte de son portefeuille et la

présenta au prince qui, d'un geste quelque peu méprisant, lui indiqua qu'il eût à la poser sur le bureau.

Une porte s'ouvrit à cet instant, Myriam et Rachel parurent au seuil du cabinet.

Elles s'arrêtèrent en voyant là un étranger. Eliezer les enveloppa d'un coup d'œil rapide, et dit de sa voix doucereuse :

— Je viens de vous apporter un grand bonheur, madame la princesse. Ne gardez pas trop rancune au vieil Eliezer d'avoir tant tardé à vous faire connaître qu'il n'avait pas l'honneur d'être votre grand-père.

Et, s'inclinant jusqu'à terre, l'usurier quitta la pièce.

A peine la porte se refermait-elle sur lui que Siegbert s'élançait vers sa femme et la prenait entre ses bras.

— Oui, Myriam, le sang de cet Onhacz ne coule pas dans vos veines, ni dans celles de notre petite Rachel ! Toutes les ombres sont écartées maintenant... Et il n'y aura plus dans vos yeux, ma bien-aimée, de ces nuages que j'y voyais trop souvent !

... Dans l'après-midi du lendemain, au retour d'une promenade en voiture, le prince, sa femme et sa jeune belle-sœur s'arrêtèrent devant la Maison des Abeilles. A Mme Sulzer qui accourait aussi vite que le lui permettaient ses jambes raidies, Siegbert dit gaiement :

— Faites-nous de votre excellent café, Sulzer. Nous allons nous arrêter un instant chez vous... pour vous annoncer une nouvelle. Devinez quoi ?

Tout en parlant ainsi, le prince aidait Myriam et Rachel à descendre. La fillette alla se jeter au cou de l'ancienne femme de chambre.

— Oui, devinez, ma bonne Sulzer ! Une chose incroyable !... un rêve !

— Mais je ne sais pas du tout... Je n'ai pas idée...

— Une bonne nouvelle, je vous le répète, Sulzer... une chose qui va vous combler de joie.

— Moi ?... moi ?... balbutia Mme Sulzer, surprise de l'air à la fois moqueur et joyeux de son maître.

— Oui, vous, Martha Sulzer, qui avez fait tout votre possible pour m'écarter de celle qui était pourtant bien légitimement ma femme.

Mme Sulzer recula de quelques pas, en joignant les mains. Elle avait une physionomie tellement consternée que Myriam, toujours charitable, dit à son mari :

— Allons, Siegbert, cesse tes reproches. Cette pauvre Mme Sulzer ne pouvait supporter l'idée que son cher prince aurait pour épouse une descendante d'Eliezer. Il ne faut pas trop lui en vouloir, car il est bien vrai que c'était là pour toi une perpétuelle cause de souffrance. Maintenant qu'elle est écartée, pardonne à cette excellente femme comme je lui ai déjà pardonné moi-même.

Siegbert riposta en riant :

— Oh ! toi, tu n'es jamais la dernière quand il s'agit d'indulgence !... Mais calmez-vous Sulzer, je ne puis en vouloir sérieusement à une fidèle servante comme vous. La preuve en est que vous êtes une des premières à apprendre la nouvelle... la grande nouvelle. Allons, Rachel, tu grilles de la dire ! Va, je te le permets.

D'une voix que la joie oppressait, la fillette s'écria :

— Nous ne sommes pas les petites-filles de l'usu-

rier, Sulzer ! Notre mère était une comtesse Baroczy !... Dites, n'est-ce pas un rêve ?

Les prunelles de Mme Sulzer se dilatèrent, ses
mains jointes se levèrent dans un geste qui exprimait bien la stupéfaction la plus complète.

— Hein ?... Qu'est-ce que je vous disais, Sulzer ?

La voix moqueuse de son maître parut ramener
la vieille femme à la réalité. Elle s'inclina en balbutiant :

— Altesse... je suis... je suis trop heureuse !

Siegbert, en s'avançant de quelques pas, lui posa
amicalement la main sur l'épaule.

— Allons, ma pauvre vieille Sulzer, vous ne
regretterez plus rien désormais ?

— Oh ! plus rien !... plus rien !

Et se tournant vers Myriam qui lui souriait avec
bonté, elle ajouta, les larmes aux yeux :

—— Je sais bien, madame la princesse, que mon
cher maître sera tout à fait heureux près de vous
maintenant !

Imp. Sévin, Doullens. — 5-1966. — (Dép. lég. : 4e tr. 1947).
Flammarion et Cie, éd. (N° 5 436). — Imprimeur : N° 1 744.